100 Dias *de* FAVOR

Joseph Prince

100 Dias *de* FAVOR

Leituras diárias de *Favor Imerecido*

Diretor
Lester Bello

Autor
Joseph Prince

Título original
100 Days Of Favor
Daily Readings From Unmerited Favor

Tradução
Idiomas & Cia/ Maria Lucia Godde

Revisão
Idiomas & Cia / Silvia Calmon/
Ana Lacerda /Elizabeth Jany e Janaína Mansilha

Diagramação
Julio Fado

Design capa (adaptação)
Fernando Rezende

Impressão e Acabamento
Gráfica e Editora Del Rey

Rua Vera Lucia Pereira, 122
Bairro Goiânia, CEP 31.950-060
Belo Horizonte/MG - Brasil
contato@belloeditora.com
www.belloeditora.com

Copyright desta edição
© 2012 em língua portuguesa por Bello
Comércio e Publicações Ltda-ME
com a devida autorização de
Joseph Prince Teaching Resources
e todos os direitos reservados.
Para distribuição no Brasil.

© 2010 por Joseph Prince.
Todos os direitos reservados.
Disponível em outros idiomas pelo site:
https://store.josephprinceonline.com/
int/c-117-other-languages.aspx

Primeira edição — Março de 2013
1ª Reimpressão — Setembro de 2014

Todos os direitos reservados. Nenhuma parte desta publicação poderá ser reproduzida, distribuída ou transmitida sob qualquer forma ou meio, ou armazenada em base de dados ou sistema de recuperação, sem a autorização prévia por escrito da editora.

Exceto em caso de indicação em contrário, todas as citações bíblicas foram extraídas da Bíblia Sagrada Almeida e Atualizada, da Sociedade Bíblica do Brasil, © Copyright 1993. Outras versões utilizadas: NVI (Nova Versão Internacional, Editora Vida) e ACF (Sociedade Bíblica Trinitariana do Brasil). **Todos os itálicos e negritos nas citações bíblicas não constam nos originais da Bíblia e são grifos do autor.**

Dados Internacionais de Catalogação na Publicação (CIP)
Prince, Joseph
P955   100 dias de favor: leituras diárias de favor
imerecido / Joseph Prince; tradução de Maria
Lúcia Godde / Idiomas e Cia. – Belo Horizonte:
Bello Publicações, 2014.
304p.
Título original: 100 days of favor
ISBN: 978-85-61721-92-3

1. Palavra de Deus. 2. Oração. I. Título.

CDD: 234.2
CDU: 230.112

Introdução

Tenho um desafio para você e acredito que ele transformará sua vida! Quero desafiá-lo a fazer uma jornada comigo durante os próximos 100 dias. Vamos mergulhar de cabeça no vasto oceano do favor imerecido do Senhor. No mundo em que vivemos hoje, é muito fácil esquecer o amor incondicional do Senhor por cada um de nós. É muito fácil esquecer que o próprio Senhor está interessado pessoalmente em fazer de você alguém bem-sucedido em todas as áreas da sua vida.

Se você simplesmente separar estes 100 dias para conhecer e transbordar do favor imerecido de Deus, creio de todo o meu coração que sua vida nunca mais será a mesma. Cada manhã, enquanto você estiver sentado com uma caneca de café quente em sua mão, simplesmente pegue este livro. Gostaria que passássemos 15 minutos juntos tendo uma conversa íntima sobre Jesus. Creio que esses minutos preciosos irão ajudá-lo a ajustar seu modo de pensar para o restante do dia. E quando a sua mente estiver firmada no favor do Senhor, você começará a experimentar, como nunca antes, uma expectativa confiante do que é bom, independentemente da adversidade ou do desafio que seja lançado em seu caminho.

Meu amigo, quando você começar a viver com a consciência do favor imerecido de Deus, conseguirá saborear e desfrutar o belo plano e os propósitos que Deus está estabelecendo para a sua vida. Quando se concentra na Sua graça, no Seu favor e no Seu amor por você diariamente, você está colocando uma lente de aumento sobre a sua vida e permitindo que o amor de Jesus irradie sobre você em todo o seu esplendor, beleza e vivacidade. Independentemente do que possa estar acontecendo ao seu redor, você estará ancorado na segurança do Seu perfeito amor, escondido na fenda da imutável Rocha dos séculos — o seu amoroso Salvador, Jesus Cristo.

Este é um convite para que você assuma durante os próximos 100 dias um compromisso de impregnar sua vida do favor imerecido de Deus. Afaste-se do barulho, do caos, da confusão e das atividades da vida, e entre na cachoeira refrescante do favor de Deus. Use esse tempo para simplesmente se sentar aos pés de Jesus e desfrutar da Sua Palavra. Você perceberá que o estresse relacionado ao trabalho, aos compromissos familiares e às expectativas das pessoas ao seu redor, e até mesmo o medo do futuro, irão desaparecer.

100 Dias de Favor baseia-se em meu livro *Favor Imerecido*. Cada uma dessas pequenas leituras inspiradoras inclui:

- *O Versículo de Hoje* — Uma passagem bíblica que está relacionada com a leitura inspiradora, dando-lhe um fundamento bíblico e ajudando-o a entender as verdades apresentadas. Eu o encorajo a meditar em cada versículo para aquele dia. Você ficará surpreso com o quanto o Espírito Santo abrirá o entendimento da Palavra de Deus para você e renovará seu coração!

- *O Fragmento Inspirador do* Favor Imerecido *para Hoje* — Uma verdade-chave ou uma pérola sobre o favor imerecido de Deus que certamente o equipará, abençoará e o revestirá de poder. Essas verdades abrangem o que é o favor imerecido de Deus, o que ele pode fazer por você e como é possível desenvolver a consciência desse favor para experimentar o sucesso.

- *A Oração de Hoje* — Não sabe como orar ou o que orar para experimentar uma reviravolta em sua vida? Essas orações irão ajudá-lo a expressar ao seu Pai celestial tudo que está em seu coração. Sinta-se livre para adaptá-las à sua própria situação. Simplesmente diga o que está dentro dele. A oração eficaz e fervorosa de um filho de Deus pode muito. O Seu Pai está ouvindo!

- *O Pensamento de Hoje* — A mente é onde a verdadeira batalha costuma acontecer. Portanto comece o seu dia com um pensamento libertador, inspirado pelo favor de Deus. A melhor maneira de proteger a sua mente é enchendo-a com os pensamentos preciosos de Deus a seu respeito!

Introdução

- *Reflexão de Hoje sobre o Favor* — Enquanto você lê, em espírito de oração, a palavra inspiradora para cada dia, reserve tempo para anotar as coisas que o Espírito Santo trouxer à sua atenção e nas quais Ele o encorajar a meditar. Faça da sua jornada pessoal às profundezas do favor imerecido de Deus uma caminhada poderosa e cheia de propósito!

É muito importante desenvolver uma consciência do favor de Deus em tudo o que você faz, pois nossa tendência humana é depender de nossa própria força para obter êxito. É muito fácil nos voltarmos para o nosso esforço próprio — quando acabamos nos desgastando e nos preocupando — em vez de dependermos do favor de Deus para termos sucesso em todas as áreas de nossas vidas. Assim, vamos usar esses 100 dias para ser completamente cheios e nos perdermos na vasta beleza do Seu favor imerecido!

Que a Graça seja sempre com você,
Joseph Prince

Uma Observação Especial do Autor

◈

Entendendo a Meditação Bíblica

Meu amigo, uma aventura empolgante espera por você! Mas antes de embarcar no primeiro dia da sua jornada para descobrir o favor imerecido de Deus, há algo ardendo em meu coração que eu simplesmente tenho de compartilhar com você. Na verdade, pedi ao meu editor para adiar a impressão deste livro para que eu pudesse acrescentar esta observação especial para você, uma nota que acredito firmemente irá ajudar a tornar sua jornada frutífera e transformadora.

O Senhor havia falado comigo no meu lugar secreto sobre a importância de meditar na Sua Palavra. Então, algo extraordinário aconteceu durante uma viagem recente a Israel. Eu estava ali com alguns dos principais pastores e líderes de minha igreja, aos quais me refiro carinhosamente como o meu "Bando de Irmãos". Enquanto estávamos descendo o Monte Arbel, deparamo-nos com uma vaca descansando em uma das cavernas no alto da montanha.

Quando a observei de perto, percebi que sua boca estava se mexendo sem parar — ela estava mastigando o bolo alimentício ou ruminando. Em outras palavras, ela havia comido um pouco de grama mais cedo e agora a estava regurgitando, mastigando, engolindo e depois regurgitando, mastigando e engolindo novamente para extrair o máximo da grama. Sei que esta não é uma imagem das mais apetitosas, mas continue me acompanhando — vou chegar a uma conclusão poderosa.

Se você já foi ao Monte Arbel, sabe que um lado da montanha é extremamente íngreme. Enquanto descíamos cuidadosamente as inclinações que davam para precipícios, nossos corpos eram pressionados contra a lateral da montanha em certos pontos, e alguns dos rapazes que estavam comigo tinham medo de olhar para baixo! Isso definitivamente não é para os de coração fraco, e a maioria dos turistas que vai a Israel não conseguiria descer a montanha assim. Mas amo sair das trilhas conhecidas quando estou em Israel, e desfrutar cada aspecto da terra. De qualquer forma, aquela caverna ficava realmente no alto, então eu não sei como aquela vaca chegou até lá!

Mas bem ali e bem naquele instante, o Senhor começou a falar comigo. Ele disse que muitas pessoas vão à igreja e se aproximam da Sua Palavra como as outras vacas que ficam pastando no pé da montanha — elas simplesmente comem e vão embora. Esta vaca, ao contrário, que estava mastigando o bolo alimentar, ruminando e dedicando o seu tempo para absorver todos os nutrientes, era mantida em um lugar alto — um lugar de descanso, segurança e perfeita calma.

Toda aquela experiência foi simplesmente impressionante. Bem ali, acariciado pelos ventos frios que varriam suavemente o Monte Arbel, o Senhor estava me ensinando uma lição objetiva sobre meditar na Sua Palavra. Ele estava me mostrando que quando nos aproximamos para receber a Sua Palavra, quer seja na igreja no domingo ou no nosso lugar secreto, Ele não quer que simplesmente *pastemos* e saiamos. Ele quer que nos aproximemos da Sua Palavra, para mastigá-la e saboreá-la. Ele quer que a ruminemos e meditemos nela. Meu amigo, pegue um versículo ou um pensamento do Senhor e mastigue-o até ele gerar vida dentro de você e se tornar uma revelação no seu coração.

Ora, a meditação bíblica envolve dar voz à passagem bíblica na qual você está meditando. Se você procurar a palavra "meditar" em Hebraico (no Salmo 1:2 e em Josué 1:8), verá que é a palavra *hagah,* que significa "murmurar". Então, quando você meditar em um versículo específico, deve essencialmente estar repetindo-o para si mesmo. Repita-o inúmeras vezes. Medite em cada palavra e deixe que cada uma venha a alimentá-lo e nutri-lo. Faça isso e você será levado ao lugar secreto do Deus Altíssimo, longe de qualquer forma de opressão, ansiedade ou medo, e envolvido no abraço das Suas poderosas asas (Salmos 91). Este é o poder da meditação bíblica. Creio de todo o meu coração que você experimentará esse descanso para a sua alma ao meditar na Palavra e envolver sua vida completamente no favor imerecido do Senhor para você ao longo dos próximos 100 dias.

E então, o que você está esperando? Vamos começar!

DIA 1

O Poder de Olhar para Jesus

Versículo de Hoje
E todos nós, com o rosto desvendado, contemplando, como por espelho, a glória do Senhor, somos transformados, de glória em glória, na sua própria imagem, como pelo Senhor, o Espírito. — 2 Coríntios 3:18

Amo pregar sobre olhar para Jesus e estar ocupado com Cristo em vez de estar ocupado consigo mesmo. Mas qual é o valor de ver Jesus?

Como isso coloca dinheiro na sua conta bancária e comida na sua mesa? Como ajuda os seus filhos nos estudos? Os crentes que me fizeram essas perguntas acham que estão sendo pragmáticos, mas não percebem que milagres acontecem quando eles mantêm os olhos em Jesus. Veja o que aconteceu a um pescador chamado Pedro, um dos discípulos de Jesus, em Mateus 14:22-33. Quando o seu barco estava no meio de um lago, seria mais prático para ele como pescador experiente ficar no barco. A ciência diz que quando você entra na água, vai afundar!

Mantenha os olhos em Jesus. Embora possa parecer que isso não é prático, é a atitude mais poderosa a tomar, e Jesus fará com que você reine sobre cada tempestade da sua vida!

Mas o maior milagre que Pedro experimentou aconteceu certa noite, quando ele saiu do seu barco no meio de uma tempestade sob a palavra de Jesus. Naquela noite, os ventos estavam violentos, mas enquanto Pedro manteve os olhos em Jesus, ele fez o impossível: andou sobre as águas. Jesus estava andando sobre as águas, e quando Pedro olhou para Ele, tornou-se como Jesus e fez o sobrenatural. A Palavra de Deus declara que "todos nós, com o rosto desvendado, **contemplando**, como por espelho, a glória do Senhor, **somos transformados**, de glória em glória, **na sua própria imagem**, como pelo Senhor, o Espírito".

Amado, como Jesus é, assim também é você neste mundo. Quando mantém o seu foco em Jesus, você é transformado à Sua imagem de glória em glória. Você é transformado contemplando, e não trabalhando. Quando você perceber que Jesus está acima das tempestades da sua vida, irá facilmente superá-las. Nenhum esforço próprio poderia ter ajudado Pedro a andar sobre as águas. Quando ele o fez, isso aconteceu simplesmente por ele estar olhando para Jesus.

Agora, observe o que aconteceu no instante em que Pedro tirou os olhos de Jesus, e começou a olhar para o vento e as ondas ao seu redor. Naquele instante, Pedro agiu dentro do natural e começou a afundar. Agora, vamos imaginar que não houvesse tempestade, nem ventos rugindo e nem ondas batendo naquela noite. Vamos imaginar que fosse uma noite perfeitamente calma na qual o Mar da Galileia estivesse tão calmo quanto um espelho sem uma única onda em sua superfície. Será que Pedro teria andado sobre as águas? É claro que não!

Andar sobre as águas não é algo que qualquer um possa fazer — estando elas calmas ou não. O vento e as ondas realmente não fizeram diferença na capacidade de Pedro andar sobre as águas. A melhor coisa que Pedro poderia ter feito era manter os olhos em Jesus e não olhar para a tempestade. Da mesma forma, em vez de olhar para o quanto suas circunstâncias e desafios são intransponíveis, desvie os olhos deles e mantenha os olhos em Jesus. Embora possa parecer que isto não é prático, esta é a coisa mais poderosa que você pode fazer, e Jesus fará com que você reine sobre cada tempestade da sua vida!

Deixe-me compartilhar com você um testemunho de uma senhora de nossa igreja. Certa manhã, ela foi fazer uma mamografia e os médicos encontraram alguns nódulos em seu seio. Eles lhe disseram para retornar à clínica à tarde para que pudessem realizar mais exames a fim de verificar se os nódulos eram cancerosos. Mas essa senhora havia acabado de me ouvir ensinar que assim como Jesus é, somos nós neste mundo também. Então, antes de voltar à clínica para fazer a biópsia, ela escreveu no seu relatório médico: "Jesus tem nódulos no peito? Assim como Ele é, sou eu neste mundo." Naquela tarde ela foi fazer outros exames e adivinhe o que aconteceu? Os médicos lhe disseram que devia ter acontecido algum engano — não encontraram nódulo algum! Sabe por quê? Por que como Ele é, assim ela é!

Você acaba de ver o poder de olhar para Jesus. Se você pensa que simplesmente olhar para Cristo não é prático, estou desafiando-o hoje a ver que fazer isso é algo bastante prático. Na verdade, essa é a coisa mais prática que você pode fazer. Mantenha os olhos em Jesus e você se tornará cada vez mais semelhante a Ele: cheio de saúde, força, sabedoria e vida!

Oração de Hoje

Pai, eu sei que um homem não pode andar sobre as águas, sejam elas calmas ou revoltas. Do mesmo modo, quer haja problemas em minha vida ou não, não posso reinar em vida sem Jesus. Sem Ele, NADA posso fazer. Portanto, peço que me ajudes a manter meus olhos em Jesus apesar de tudo que preciso fazer hoje. Eu Te agradeço porque, à medida que eu olhar para Jesus para atender a todas as minhas necessidades e desejos em meio a cada dificuldade e desafio, Ele me colocará no lugar certo na hora certa e me dará todos os recursos que necessito para ter êxito!

Pensamento de Hoje

Posso andar acima dos meus problemas quando mantenho os olhos em Jesus e confio nele.

Reflexão de Hoje sobre o Favor

_____
_____
_____
_____
_____
_____
_____
_____

DIA 2

Medite em Jesus e Tenha Êxito

Versículo de Hoje
E, assim, a fé vem pela pregação, e a pregação, pela palavra de Cristo.
— *Romanos 10:17*

Sob a nova aliança, temos a chance de meditar sobre a pessoa de Jesus quando meditamos na Palavra. Jesus é o Verbo que se fez carne, e à medida que você medita no Seu amor por você, na Sua obra consumada, no Seu perdão e na Sua graça, Deus garante que você terá êxito.

Quando você medita em Jesus, os seus caminhos sempre se tornam prósperos.

Você pode simplesmente pegar um versículo e meditar sobre o amor de Jesus por você. Por exemplo, você pode começar a balbuciar o Salmo 23:1 enquanto respira: "O Senhor é meu pastor, nada me faltará." À medida que você medita nesse simples versículo, começa a perceber que o Senhor *é* (presente do indicativo) o seu pastor. Um pastor supre as necessidades das suas ovelhas, as alimenta e protege. Porque Jesus é o seu pastor, você não terá falta de nada. Não lhe faltará sabedoria, direção, provisão — nada. Você começará a ver que Jesus está presente ao seu lado, suprindo suas necessidades, cuidando de você, e garantindo que você e sua família tenham mais do que o suficiente. Agora, bem nesse instante, nesse curto período de meditação sobre Jesus, a fé é transmitida e o seu coração é encorajado pelo fato de Jesus estar com você, ainda que esteja enfrentando alguns desafios.

Quer você seja um engenheiro, um profissional de vendas ou um empresário, sua alma será alimentada e fortalecida quando você meditar em Jesus. Na verdade, todas as vezes que você meditar na Palavra de Deus, Jesus o impelirá na direção do sucesso sem você perceber! Sem você precisar fazer planos, esquemas ou projetos, Jesus dirigirá seus passos, irá conduzi-lo ao lugar onde você deve estar, e fará as portas da oportunidade se abrirem sobrenaturalmente para você. Ao meditar em Jesus, seus caminhos sempre se tornam prósperos. Agora, não tenha medo de usar a palavra "próspero". Prosperidade é uma promessa de Deus na Bíblia. Quando você medita em Jesus dia e noite, a Bíblia diz que você "fará prosperar o seu caminho e será bem-sucedido" (Josué 1:8)!

Algumas pessoas pensam que serão prósperas quando tiverem obtido o seu primeiro milhão. Mas examinando a vida delas, descobrirá que em algum momento ao longo do caminho, em meio ao seu esforço para ganhar cada vez mais dinheiro, elas perderam exatamente aquilo que realmente importa. Podem ter formado uma carteira de investimentos impressionante, mas seus filhos não querem mais nada com elas, pois elas feriram as pessoas que um dia as amaram. Esta não é a verdadeira prosperidade e nem o verdadeiro sucesso.

Quando Deus o abençoa com prosperidade, as bênçãos financeiras estão incluídas, mas apenas como uma pequena parte do todo. O sucesso proveniente de Jesus jamais o afastará da sua igreja. Nunca o afastará dos seus entes queridos. Acima de tudo, nunca o afastará de você mesmo. Você não irá acordar um dia em meio à sua busca pelo sucesso e descobrirá que não conhece mais aquela pessoa olhando para você do outro lado do espelho.

Meu amigo, aprenda a meditar na pessoa de Jesus. **Ele** é o seu sucesso. Quando você o tem, tem tudo. A Bíblia nos diz que "a fé vem pelo ouvir, e o ouvir pela palavra de Deus". A palavra para "Deus" aqui no original grego é *Christos*,[1] referindo-se a Cristo. Em outras palavras, a fé vem pelo ouvir e ouvir a Palavra de **Cristo**.

A fé não vem apenas por se ouvir a Palavra de Deus. Ela vem por se ouvir a Palavra de **Jesus** e Sua obra consumada. Da mesma forma, meditar na Palavra de Deus tem a ver com meditar, repetir e ouvir sobre Jesus. Isso não significa apenas ler os quatro evangelhos de Mateus, Marcos, Lucas e João. Na verdade, cada página de toda a Bíblia de capa a capa aponta para a pessoa de Jesus!

Se você deseja ter sucesso em sua vida, eu o encorajo a meditar nas mensagens pregadas pelos ministros que falam sobre exaltar a pessoa de Jesus, Sua beleza, Seu favor imerecido e Sua obra perfeita para você na cruz.

Ouça os ministérios da nova aliança que não misturam lei e graça, mas discernem a Palavra de Deus corretamente e pregam o evangelho não adulterado de Jesus. Quanto mais você ouvir sobre Jesus e a cruz, mais fé lhe será transmitida e mais sucesso terá em sua vida!

Oração de Hoje

Pai, eu Te agradeço, pois os Teus caminhos são caminhos de descanso. Tudo que tenho de fazer é meditar em Jesus e na Sua Palavra, e Ele dirigirá os meus passos, me levará ao lugar onde preciso estar e fará com que as portas da oportunidade se abram sobrenaturalmente para mim. Abre as Tuas Palavras de vida para mim enquanto medito em Jesus, no Seu amor por mim, e na Sua obra consumada, no Seu perdão e na Sua graça.

Pensamento de Hoje

Quando eu meditar em Jesus, tornarei meu caminho próspero e terei sucesso.

Reflexão de Hoje sobre o Favor

_____
_____
_____
_____
_____
_____
_____
_____
_____
_____

DIA 3

Jesus Está Interessado no Seu Sucesso

❖

Versículo de Hoje
... Glorificado seja o SENHOR, que se compraz na prosperidade do seu servo! — Salmos 35:27

Você acredita que Jesus está interessado no seu sucesso? Pare por um instante para refletir sobre isso.

Meu amigo, fique sabendo que Jesus tem prazer em abençoá-lo. Ele tem prazer em vê-lo abençoado em todas as áreas da sua vida! Agora, não limite as Suas bênçãos sobre a sua vida. As bênçãos do Senhor não são (como alguns erroneamente acreditam) vistas apenas nas coisas materiais. Jesus está infinitamente interessado no seu bem-estar **total**. Ele está interessado na sua família, na sua carreira, na sua realização pessoal, no seu casamento, no seu ministério e, puxa, como a lista é grande!

Se é importante para você, é importante para Ele!

No que se refere aos seus desejos, esperanças e sonhos, não existe um detalhe que seja minúsculo demais, pequeno demais ou insignificante demais para Jesus. Confie em mim, se algo for importante para você, é importante para Ele! Ainda que você o busque em oração para tirar aquela pequena espinha do nariz, Ele não vai olhar para você e responder com zombaria: "Ei, camarada, você não sabe que Eu tenho o universo inteiro para governar?" De jeito nenhum! Mil vezes não! Jesus nunca irá ridicularizar nem considerar suas preocupações insignificantes. Ele nunca é desonroso ou condescendente (indiferente e nem paternalista). Ele não é como alguns dos seus supostos "amigos", que podem ter prazer em rir das suas imperfeições. Se algo aborrece você, também o "aborrece".

Você é importante para Jesus. Saiba, com plena certeza no seu coração, que Jesus o conhece perfeitamente e ainda assim o aceita e o ama perfeitamente. Quando você começar a entender isso, perceberá que é realmente esse favor imerecido, esse favor da parte de Jesus que você sabe que não merece, não mereceu e não pode conquistar para si, que aperfeiçoará cada imperfeição e fraqueza em sua vida. Se você está enfrentando desafios, como carência em qualquer área, vícios, medos, doenças ou relacionamentos rompidos, o favor imerecido de Jesus o protegerá, o libertará, o fará prosperar, trará restauração à sua vida e suprirá suas necessidades. O Seu favor imerecido o transformará em uma pessoa plena, e é a bondade de Deus, e não o seu esforço que o levará a viver vitoriosamente para a Sua glória.

Oração de Hoje

Senhor Jesus, obrigado por me amar, por estar interessado no meu sucesso e por querer me abençoar em todas as áreas da minha vida. Eu lanço todas as preocupações do meu coração em Tuas mãos. Obrigado pelo Teu favor imerecido que me dá sabedoria e força para vencer cada problema e para viver vitoriosamente hoje.

Pensamento de Hoje

Meus passos são ordenados pelo Senhor porque sou justo nele.

Reflexão de Hoje sobre o Favor

_____

_____

_____

_____

_____

DIA 4

Não Se Trata do Que Você Tem Mas de Quem Você Tem

❖

Versículo de Hoje
José foi levado ao Egito, e Potifar, oficial de Faraó, comandante da guarda, egípcio, comprou-o dos ismaelitas que o tinham levado para lá. O SENHOR era com José, que veio a ser homem próspero; e estava na casa de seu senhor egípcio — Gênesis 39:1-2

Você consideraria o jovem José, que estava prestes a ser vendido como escravo, um "homem próspero"?

É claro que não!

No entanto, Deus diz com as Suas próprias palavras que José era um homem próspero.

A definição de prosperidade e sucesso de Deus é contrária à definição do mundo. O mundo empresarial mede o sucesso com base no que **você** fez, no que **você** realizou e no que **você** acumulou. O sucesso se baseia inteiramente em **você** concentrar todo o seu tempo, energia e recursos no merecimento de títulos e na coleção de realizações.

É a presença do Senhor na sua vida que faz de você um sucesso!

Agora, nós temos testemunhado como esse acúmulo autoindulgente levou à crise das instituições de crédito, ao declínio dos bancos de investimentos e a um desastre financeiro internacional generalizado.

Meu amigo, quero encorajá-lo a começar a ver que o modelo de sucesso do mundo é instável e construído sobre um fundamento que é abalável.

Pode ter a aparência de uma boa vida, mas é temporal, e todos nós já vimos por nós mesmos como as riquezas transitórias do mundo podem se dissipar como fumaça e desaparecer facilmente como areias movediças no deserto.

Com base em Gênesis 39:2, fica claro que sucesso não é **o que** você tem, mas sim **quem** você tem! José literalmente não tinha nada do ponto de vista material, mas ao mesmo tempo, tinha tudo porque o Senhor estava com ele. As coisas materiais que você acumulou ou está tentando arduamente reunir, não fazem de você um sucesso. É a presença do Senhor na sua vida que faz de você um sucesso!

Precisamos aprender a parar de almejar coisas e começar a almejar Deus. Deus vê o seu relacionamento com Ele como a única coisa que você necessita para alcançar o sucesso em todas as áreas sua vida. Não consigo imaginar alguém começando em uma situação pior do que a de José. Ele estava completamente nu. Não tinha nada! Não tinha conta bancária, nem qualificações acadêmicas, nem contato com pessoas influentes, nada. Graças a Deus porque a Bíblia retrata uma imagem de um José que começou sem nada, para você e eu podermos ter esperança hoje. Se você acha que, assim como José, você não tem nada, bem, você pode começar a crer no poder da presença do Senhor na sua vida. Comece a olhar para Jesus e a reivindicar a promessa desse versículo bíblico para você!

Diga: "O Senhor está comigo, e sou uma pessoa de sucesso."

Diga isso cem vezes se for preciso, e comece a ver essa frase como a sua realidade. Cole essa promessa no seu espelho, e todas as manhãs, quando for escovar os dentes, lembre-se dela, quando for para o trabalho, para a escola, quando começar o dia cuidando de seus filhos em casa (ou quando fizer qualquer coisa que seja preciso fazer), o Senhor está com você. E porque Ele está com você, VOCÊ JÁ É UM SUCESSO! Quando tem Jesus em sua vida, você não está mais tentando ser um sucesso; você já É um sucesso!

Oração de Hoje

Senhor Jesus, eu Te agradeço porque Tu estás comigo, e porque Tu nunca me deixarás nem me abandonarás. E porque eu tenho a Tua presença em minha vida, já sou um sucesso! Em tudo que preciso fazer hoje, sei que Tu estás comigo para me ajudar a ter êxito nisso.

Pensamento de Hoje

Porque o Senhor está comigo, sou uma pessoa bem-sucedida.

Reflexão de Hoje sobre o Favor

DIA 5

Jesus, o Nosso Perfeito Herói

Versículo de Hoje
*O seu falar é muitíssimo doce; sim, ele é totalmente desejável.
Tal é o meu amado, tal, o meu esposo, ó filhas de Jerusalém.*
— Cantares de Salomão 5:16

Jesus é alguém com quem você pode ser totalmente sincero. Você pode andar com Ele e ser você mesmo, sem fingimento e sem representar. Jesus é eternamente amoroso para com você e você pode falar com Ele sobre qualquer assunto. Ele aprecia conversar com você sobre os seus sonhos, aspirações e esperanças. Ele quer curá-lo de coisas do seu passado com as quais talvez você esteja tendo dificuldades. Está interessado nos seus atuais desafios. Ele quer chorar com você quando você está triste e se alegrar com você em todas as suas vitórias.

Jesus é alguém com quem você pode ser totalmente sincero.

Jesus é amor e ternura personificados. Tome cuidado para não confundir a Sua ternura com as imagens afeminadas e fracas que temos visto em algumas pinturas tradicionais que tentam retratá-lo. Ele é ternura e força em um único ser. É mansidão e majestade, humanidade e divindade, veludo e aço. Às vezes, quando tentamos ser afirmativos e fortes, passamos por cima dos sentimentos das pessoas como um trator e acabamos ferindo-as com nossas palavras. Quando tentamos ser ternos, exageramos na bondade e nos reduzimos a capachos para que os outros tirem vantagem de nós.

Vamos tirar os olhos de nós mesmos e olhar para Jesus. Ele pôde obrigar um bando de fariseus intrigantes a recuarem em uma situação, desafiando-os com as palavras: "Aquele que dentre vós estiver sem pecado seja o primeiro que lhe atire pedra" (João 8:7). No momento seguinte, este mesmo Jesus pôde olhar bem nos olhos de uma mulher quebrantada, surpreendida em adultério, e com compaixão ecoando em Sua voz, perguntar-lhe: "Mulher, onde estão aqueles teus acusadores? Ninguém te condenou? Nem eu tampouco te condeno; vai e não peques mais" (João 8:10-11).

Este é o nosso Deus!

Em um instante, um Jesus cansado podia estar dormindo em um barco de pesca agitado pelo vento, sem se dar conta das águas tempestuosas da Galileia que batiam contra o barco desventurado. Mas no momento seguinte, você o vê olhando com firmeza para as ondas que fustigam o barco, com Seus braços musculosos de carpinteiro erguidos para o céu. Com Sua única declaração de absoluta autoridade sobre o céu e a terra, as ondas se submeteram e se acalmaram instantaneamente, transformando-se em um plácido espelho de tranquilidade (Marcos 4:37-39).

Jesus é 100% Homem e ao mesmo tempo 100% Deus. Como Homem, Ele entende e se identifica com tudo que você passou, está passando e passará nesta vida. Mas como um Deus amoroso, todo o Seu poder, toda a Sua autoridade e todos os Seus recursos estão a seu favor. Amado, seja o que for que você esteja enfrentando hoje, deixe o seu coração descansar tranquilo no Seu perfeito amor por você.

Oração de Hoje

Pai, ajuda-me a manter os meus olhos em Jesus, Aquele que é totalmente amoroso. Por amor de mim, Senhor Jesus, Tu te tornaste homem para que hoje entendas tudo que estou passando e cada emoção que sinto. Obrigado, Jesus, por não me condenar, mas por me amar sempre. Agradeço por me garantir hoje que tenho a presença do Deus-Homem Todo-Poderoso e pleno de amor em minha vida para me ajudar e para me tornar próspero em todas as áreas da minha vida.

Pensamento de Hoje

Jesus entende e se identifica com tudo que passei, estou passando e passarei nesta vida.

Reflexão de Hoje sobre o Favor

DIA 6

Salvá-lo é a Descrição de Cargo de Deus

Versículo de Hoje

Enquanto ponderava nestas coisas, eis que lhe apareceu, em sonho, um anjo do Senhor, dizendo: José, filho de Davi, não temas receber Maria, tua mulher, porque o que nela foi gerado é do Espírito Santo. Ela dará à luz um filho e lhe porás o nome de Jesus, porque ele salvará o seu povo dos pecados deles. — Mateus 1:20-21

O nome "Jesus" é *Yeshua* em hebraico, que contém uma abreviação de *Yahweh*, o nome de Deus em hebraico. Então o nome "Jesus" significa literalmente "*Yahweh* é o nosso Salvador" ou "O Senhor é o nosso Salvador"! Que lindo nome!

Jesus é o seu Salvador!

Todas as vezes que você clama o nome de Jesus, o nome que está acima de todos os outros nomes, está chamando o próprio Deus para salvá-lo. Salvá-lo é a descrição de cargo de Jesus! Seja qual for o desafio ou circunstância, seja qual for a crise em que você está — física, financeira ou emocional— você pode clamar o nome de Jesus e do próprio Deus Todo-Poderoso para salvá-lo!

Meu amigo, você pode dedicar tempo para conhecer os nomes de Deus, que Ele revelou sob a velha aliança, como *Elohim, El Shaddai, El Elyon, Jeová-Jireh, Jeová-Rafá* e *Jeová-Nissi*. Você pode fazer um estudo completo dos nomes de Deus. Não sou contra isso, absolutamente. Ensino os nomes de Deus na minha igreja também, mas todos esses nomes não significarão nada para você caso não saiba que o próprio Deus Todo-Poderoso, Jesus, quer salvá-lo primeiramente de todos os seus pecados, depois, de todos os seus desafios.

Deus pode ser Todo-Poderoso, mas se você não tem certeza de que Ele está interessado no seu sucesso, o Seu poder não significará nada para você. Portanto, você não precisa decorar todos os nomes de Deus da velha aliança. O que você precisa é de uma revelação completa de que Jesus, na nova aliança, é o seu Salvador! Tiger Woods é famoso por quê? Pelo golfe! David Beckham é famoso por quê? Futebol! (Ele também é famoso pela publicidade de produtos!) Jesus é famoso por quê? Por salvar você!

Do que você precisa ser salvo hoje? Veja Jesus na sua situação, salvando-o, protegendo-o e suprindo suas necessidades!

Oração de Hoje

Senhor Jesus, porque Tu és o meu poderoso Salvador, não há desafio ou circunstância que possa conseguir me derrotar. Obrigada por me salvar dos meus pecados e de todos os desafios que enfrento hoje. Recebo a Tua sabedoria, a Tua proteção e a Tua provisão para me livrar e para me fazer prosperar em cada circunstância difícil com a qual eu tenha de lidar hoje.

Pensamento de Hoje

Jesus me salvou dos meus pecados e o Seu poder está disponível para me salvar de todo e qualquer desafio em minha vida.

Reflexão de Hoje sobre o Favor

_____
_____
_____
_____
_____
_____

DIA 7

Deus é Capaz e Está Disposto

Versículo de Hoje

E eis que um leproso, tendo-se aproximado, adorou-o, dizendo: Senhor, se quiseres, podes purificar-me. E Jesus, estendendo a mão, tocou-lhe, dizendo: Quero, fica limpo! E imediatamente ele ficou limpo da sua lepra. — Mateus 8:2-3

Todos os cristãos provavelmente acreditam que Deus tem **poder** para abençoar, curar, proteger, prosperar e tornar alguém um sucesso. Entretanto, sabemos que nem todos acreditam que Deus está **disposto** a fazer tudo isso por eles. Mateus 8:1-3 relata a história de um leproso que foi até Jesus para ser curado. Ele disse: "Senhor, se quiseres, podes purificar-me." O leproso não duvidava da capacidade de Jesus para curá-lo, mas não tinha certeza de que Jesus estava **disposto a curá-lo**, um leproso que fora condenado ao ostracismo por todos. Em outras palavras, ele acreditava na onipotência de Deus, mas não tinha certeza de que o coração de Deus era um coração de amor e favor imerecido para com ele. Tenho certeza de que você conhece crentes que são assim. Podem acreditar no poder de Deus, mas não têm certeza do que está no coração de Deus para com eles. Eles sabem que Deus pode, mas não têm certeza se Ele está disposto.

Seja qual for a reviravolta que você crê que Jesus pode fazer em sua vida, Ele lhe diz: "EU QUERO FAZER ISSO."

Esta é uma das maiores tragédias na igreja de hoje. Quando certos crentes ouvem testemunhos de outros crentes sendo curados pelo Senhor, ficam inseguros e sem saber se Deus também está disposto a curá-los. Quando leem relatos dando louvor ao Senhor por ter abençoado outros com promoções e bênçãos financeiras, questionam intimamente se Deus está disposto a fazer o mesmo por eles. Eles se perguntam o que aquelas pessoas **fizeram** para conseguir as suas bênçãos.

O mais trágico, é que olham para suas próprias vidas, para suas imperfeições e fracassos, e começam a se desqualificar para receber as bênçãos de Deus. Eles pensam: "Por que Deus me abençoaria? Veja o que eu fiz. Não sou merecedor." Em vez de ter fé para crer em Deus para fazer uma reviravolta em suas vidas, eles se sentem culpados demais para conseguirem crer na bondade de Deus e receber qualquer coisa de bom dele.

Meu amigo, não seja como aquele leproso que entendeu Jesus de uma maneira totalmente errada! Vamos ver como Jesus lhe respondeu. Isso é importante porque seria a mesma resposta que Jesus lhe daria se você se aproximasse dele hoje.

Mateus 8:3 relata que "Jesus estendendo a mão, tocou-lhe dizendo: 'Quero! Fica limpo!'" Você consegue ver o quanto o ministério de Jesus é pessoal? Ele não tocou todas as pessoas que curou. Algumas vezes, Ele simplesmente falava e os enfermos ficavam curados. Mas neste caso, Jesus estendeu a mão e tocou o leproso com ternura. Creio que Jesus fez isto para curá-lo não apenas da sua lepra, mas também das cicatrizes emocionais que havia recebido devido aos anos de rejeição.

A lepra era uma doença altamente contagiosa e a lei proibia os leprosos de entrarem em contato com qualquer pessoa. Isto significava que durante anos, aquele leproso havia sido repelido por todos que viam o seu estado, até pelos membros de sua própria família. Ele provavelmente cheirava mal devido à carne apodrecida e aos maus tratos, e sua aparência devia ser repulsiva.

Mas sem hesitar, Jesus tocou-o, dando-lhe o primeiro toque humano desde que contraiu a doença. A Bíblia nos conta que, imediatamente, a sua lepra foi purificada e o homem recebeu a sua cura.

Jesus é o mesmo ontem, hoje e eternamente (Hebreus 13:8). Seja qual for a reviravolta que você crê que Jesus pode dar em sua vida, Ele lhe diz: "EU QUERO FAZER ISSO." Não duvide mais do amor que há no Seu coração por você. Pare de se ocupar com as suas próprias incapacidades e seja completamente envolvido em Seu amor e na Sua graça (favor imerecido) para com você!

Oração de Hoje

Pai, obrigado por relatar a história do leproso na Tua Palavra para mim. Ela me mostra que, no que se refere à cura e a todas as outras bênçãos que Jesus morreu para me dar, Tu PODES e QUERES dá-las a mim. Eu Te agradeço porque as minhas imperfeições e falhas não me desqualificam para receber as Tuas bênçãos porque o sangue de Jesus já me qualificou. O Seu sacrifício libera o Teu favor imerecido e as Tuas bênçãos sobre mim. Obrigado pelas bênçãos que Tu preparaste para que eu ande nelas hoje.

Pensamento de Hoje
Deus pode e QUER agir por MIM!

Reflexão de Hoje sobre o Favor

DIA 8

O Amor de Deus por Você é Pessoal, Detalhista e Profundo

Versículo de Hoje

Humilhai-vos, portanto, sob a poderosa mão de Deus, para que ele, em tempo oportuno, vos exalte, lançando sobre ele toda a vossa ansiedade, porque ele tem cuidado de vós. — 1 Pedro 5:6-7

Há muitos crentes hoje que não lançam as suas ansiedades sobre o Senhor. Creio que é porque não têm a revelação de que Ele se importa com eles. Veja o que a Sua Palavra diz: "... lançando sobre ele toda a vossa ansiedade, porque **ele tem cuidado de vós.**" A não ser que você tenha absoluta confiança de que Jesus se importa com você, certamente você não lançará a sua ansiedade sobre Ele. Pense bem, você pediria a ajuda de um parente ou amigo no seu momento de necessidade se não confiasse que a pessoa atenderia ao seu apelo? Jesus se importa com você. Quando clamar por Ele, saiba que você tem a Sua máxima atenção e todos os recursos do céu à sua disposição!

Deus está vital e intensamente interessado nos mínimos detalhes diários de sua vida.

Talvez você esteja pensando neste instante: *Bem, tenho certeza de que Jesus tem coisas mais importantes para fazer do que se importar com meu problema*. Espere, dizendo isso, você acaba de mostrar que realmente não acredita que Jesus se importa com você. Agora, vamos ver o que a Bíblia diz: "Até os cabelos da vossa cabeça estão todos contados. Não temais! Bem mais valeis vós do que muitos pardais" (Lucas 12:7).

Amo e me importo com a minha filhinha Jessica. Mas por mais que eu a ame e me importe com o seu bem-estar, eu nunca, nem uma vez, contei o número de fios de cabelos na sua cabeça! Ela não sabe a grande bênção que tem sido para mim. Amo beijá-la, cheirar seus cabelos e abraçá-la com força. No entanto, em todo o meu grande amor por ela, durante todos esses anos eu nunca dediquei tempo para contar o número de fios de sua cabeça!

Mas você sabia que o seu Pai celestial conta os cabelos da sua cabeça? Realmente espero que você esteja começando a entender o coração de Jesus e a não generalizar o Seu amor por você. O amor dele por você abrange tudo. Se Ele se importa o suficiente para manter a contagem dos cabelos da sua cabeça, existe alguma coisa pequena demais para você conversar com Ele?

O amor de Deus por você é infinitamente detalhista. Jesus disse que nenhum pardal cai ao chão sem o consentimento do Pai (Mateus 10:29). Acaso você não tem mais valor que um pardal? Será que Deus é um Deus que dá corda no relógio e o deixa sozinho funcionando até Jesus voltar? Será que Ele só se envolve com os grandes acontecimentos do mundo? Será que Ele só está envolvido com os acontecimentos significativos da nossa vida, como a nossa salvação, ou Ele está vital e intensamente envolvido nos detalhes minuciosos diários da sua vida? O que você acha? A Bíblia diz que Ele chama Suas próprias ovelhas pelo nome (João 10:3; 14). Meu amigo, o Seu amor por você é pessoal, detalhista e profundo! Seu Pai celestial quer que você o envolva até nas questões menores e mais corriqueiras da sua vida, e veja o Seu favor imerecido cercando-o, protegendo-o e conduzindo-o ao sucesso.

Oração de Hoje

Pai, obrigado por me amar de uma forma tão detalhista, pessoal e profunda. Agora mesmo, lanço todas as ansiedades e preocupações que tenho em meu coração, por mim mesmo e por minha família, em Tuas mãos. Peço que Tu cuides deles por mim e que Tu dirijas os meus caminhos. Recuso-me a me afligir e a me preocupar mais com qualquer um dos meus problemas porque eles estão em Tuas mãos. Em vez disso, escolho agradecer-Te por Tuas tremendas respostas!

Pensamento de Hoje
Deus se importa comigo intensamente e o Seu amor por mim é pessoal, detalhista e profundo.

Reflexão de Hoje sobre o Favor

DIA 9

Jesus é Emanuel, O Todo-Poderoso Deus Conosco

Versículo de Hoje

Ora, tudo isto aconteceu para que se cumprisse o que fora dito pelo Senhor por intermédio do profeta: Eis que a virgem conceberá e dará à luz um filho, e ele será chamado pelo nome de Emanuel (que quer dizer: Deus conosco). — Mateus 1:22-23

Você sabia que o nome de Jesus não é apenas Jesus? O Seu nome também é **Emanuel**, que significa o Todo-Poderoso Deus está conosco. Que consolo saber que o nosso Tremendo Deus Todo-Poderoso, também é o nosso Pai amoroso e está sempre conosco!

Um irmão precioso compartilhou comigo que mesmo sendo um crente, anos atrás teve problemas com o álcool. Todas as noites saía para beber a ponto de não conseguir sequer se lembrar de como chegara em casa no dia seguinte. Ele tentava de todas as maneiras parar de beber, mas sempre fracassava.

Quando o Deus Todo-Poderoso está com você, coisas boas acontecerão em você, ao redor de você e através de você.

Um dia, ele saiu com alguns amigos para jogar *squash*. Depois do jogo, ele se deitou no chão para descansar. Enquanto estava descansando, sentiu a presença de Jesus vir sobre ele e naquele exato momento, o Senhor rompeu a sua dependência do álcool e retirou completamente o seu desejo de beber!

Hoje, esse irmão a quem o Senhor libertou do alcoolismo é um dos principais líderes da minha igreja. Não é típico de Deus pegar as coisas fracas do mundo para confundir as fortes, e as coisas loucas do mundo para confundir as sábias?

Sabe, toda a nossa luta, a nossa força de vontade, disciplina e esforço próprio não podem fazer o que a presença do Senhor pode fazer em um instante. E quem pode dizer que enquanto estamos falando sobre Jesus agora, a Sua presença não está desfazendo algo que é destrutivo em sua vida?

Veja bem, você não é transformado por esforço. Você é transformado por olhar para Jesus e crer que Ele o ama e quer salvá-lo.

Ora, o que significa dizer "Deus conosco"? Precisamos entender isso da mesma maneira que o povo hebreu entenderia. Há algo lindo aqui — este é o segredo de Emanuel! A mente judaica entende que quando o Senhor está **com você,** o resultado é que você passa a ter êxito em todos os empreendimentos. Não aceite simplesmente a minha palavra sobre esse assunto. Veja as crônicas da história judaica. A Bíblia relata que sempre que o Senhor estava **com eles** em uma batalha, os filhos de Israel nunca eram derrotados, e toda campanha militar terminava em um sucesso avassalador.

Na verdade, na batalha de Jericó, a cidade foi conquistada por eles apenas com um grito (Josué 6:20)! Por quê? O Senhor estava com eles. Até nas batalhas em que o inimigo era mais numeroso, eles triunfavam, pois o Senhor estava com eles. Não é diferente em relação a você hoje. Quando a Bíblia diz que Jesus está com você, Ele está ao seu lado para ajudá-lo, assisti-lo, virar a situação em seu favor e fazer com que coisas boas aconteçam com você. Ele não está com você, como alguns acreditam erroneamente, para condená-lo, julgá-lo ou encontrar defeitos em você! Quando o Deus Todo-Poderoso está com você, coisas boas acontecerão **em você, ao redor de você e através de você**. Tenha a expectativa de que isso irá acontecer com você hoje!

Oração de Hoje

Senhor Jesus, eu Te agradeço porque Tu estás sempre comigo. Ajuda-me a lembrar que não são a minha força de vontade, os meus esforços próprios ou a minha disciplina que irão me dar vitória sobre as tentações e os vícios, mas a Tua presença em minha vida. Obrigado pelas coisas boas que acontecerão comigo e com meus entes queridos por causa da Tua presença em minha vida.

Pensamento de Hoje
A vitória vem não pela minha força de vontade, mas pela presença de Jesus.

Reflexão de Hoje sobre o Favor

DIA 10

Deus Não Está Presente para Procurar Defeitos em Você

Versículo de Hoje

Reconhece-o em todos os teus caminhos, e ele endireitará as tuas veredas. — *Provérbios 3:6*

Algo muito singular e precioso acontece quando você vê que o Senhor está com você. Confie no Senhor para abrir seus olhos a fim de vê-lo ao seu lado na situação que você está vivendo, e quanto mais você o vir, mais Ele se manifestará. Se você está prestes a se comprometer com um acordo de negócios importante, eu lhe garanto que se puder ver o Senhor ali com você, a sabedoria dele fluirá através da sua vida e Ele lhe dará a percepção sobrenatural necessária para discernir quaisquer lacunas, detalhes ou cláusulas rescisórias que estejam faltando nesse contrato que você está prestes a assinar.

A presença de Deus está com você para dirigi-lo, guiá-lo, levá-lo a se tornar mais semelhante a Cristo, e para fazer de você um sucesso em cada empreendimento que realizar.

Quando você envolver Jesus na situação e reconhecer a Sua presença, você o sentirá intervir em qualquer decisão que esteja prestes a tomar, através da ausência ou da presença da Sua paz. Às vezes, tudo pode parecer estar em ordem na superfície, mas de algum modo, você pode sentir uma inquietação no seu interior todas as vezes que pensa na decisão que precisa tomar. O meu conselho seria que você não se precipitasse. Veja bem, a partir do momento em que envolve o Senhor na situação, a falta de paz que você sente, muitas vezes, é a Sua direção para protegê-lo. Você pode até mesmo estar no meio de uma discussão com o seu cônjuge, mas no instante em que tomar consciência da presença do Senhor, suas palavras mudarão. De alguma forma, haverá uma contenção sobrenatural que você sabe que não vem de si mesmo. Isso também é o Senhor!

Amado, é importante você erradicar a noção de que o Senhor está presente para **procurar defeitos** em você. Você pode ter sido criado em um ambiente em que seus pais estavam constantemente implicando com seus defeitos e apontando seus erros, mas não projete esta característica no Senhor. Deus conhece todas as suas particularidades, mas Ele o ama perfeitamente porque o vê através das lentes da cruz, onde Seu Filho removeu todos os fracassos da sua vida. Isto significa que até a sua discussão atual relacionada ao seu cônjuge é lavada pelo sangue de Jesus.

A presença do Senhor está com você não para julgá-lo ou para bater na sua cabeça com um bastão gigante no instante em que falhar. Não, meu amigo, a Sua presença está com você para dirigi-lo, guiá-lo, levá-lo a se tornar mais parecido com Cristo, e para fazer de você um sucesso em cada empreendimento que realizar.

Oração de Hoje

Senhor Jesus, estou muito feliz porque Tu estás comigo não para procurar defeitos em mim, mas para me encorajar, me guiar e me ajudar a ter êxito. Ajuda-me a sempre envolver-Te e a reconhecer a Tua presença em todas as decisões que tiver de tomar. Hoje, espero ansiosamente ver Tua presença se manifestando através da sabedoria e do discernimento sobrenatural em mim para fazer o que é certo e cheio de vida.

Pensamento de Hoje

Deus conhece todas as minhas particularidades e fraquezas, e Ele não me condena, mas me ama perfeitamente por causa de Jesus.

100 DIAS DE FAVOR

Reflexão de Hoje sobre o Favor

DIA 11

Não É o Fim Quando O Senhor Está Com Você

Versículo de Hoje

Vendo Potifar que o SENHOR era com ele e que tudo o que ele fazia o SENHOR prosperava em suas mãos. — Gênesis 39:3

Você já ouviu falar de alguém que estivesse em situação pior do que José quando estava de pé, nu, em um mercado egípcio, esperando para ser vendido como escravo? O mundo dele parecia ter desmoronado ao seu redor. Apenas alguns dias antes, ele estava nos braços de seu pai, mas, agora, seus próprios irmãos o haviam traído. Tudo que ele possuía havia sido arrancado dele. José havia sido reduzido a nada mais do que um escravo em uma terra estrangeira.

Quando a presença de Deus é manifesta em sua vida, é aí que a Sua glória brilha através de você!

Aquele era o fim de José? Dentro da ordem natural das coisas, com certeza parecia que sim. Mas mesmo com as probabilidades contra José, o Senhor estava longe de terminar o que havia começado a fazer na vida dele. Mesmo nessa situação terrível, o Senhor estava com ele, e nessa crise sombria e desoladora da vida de José, o Senhor o chamou de homem próspero (Gênesis 39:1-2)! Lembre-se de que não se trata do que você tem. É **quem** você tem em sua vida que faz toda a diferença.

"Como o Senhor pode fazer um jovem escravo sem um único centavo ou bem em seu nome ter êxito?"

Bem, vamos continuar com a história de José. Gênesis 39:3 nos diz:

"Vendo Potifar que o SENHOR era com ele e que tudo o que ele fazia o SENHOR prosperava em suas mãos." Esta é uma declaração poderosa e ela oferece uma promessa na qual você pode acreditar, em todas as áreas da sua vida. Você pode imaginar cada projeto, empreendimento e tarefa que você empreender se tornarem prósperos? Suas mãos se tornam mãos abençoadas.

Você toca os membros da sua família e eles são abençoados. Sua empresa pode estar enfrentando dificuldades para administrar um projeto difícil, mas quando ele é colocado em suas mãos, esse mesmo projeto passa a ser abençoado. Você se torna uma bênção prestes a alcançar a vida de alguém, ou algo, em todo lugar que você vai!

Ora, como isso vai acontecer? O Senhor Jesus fará isso acontecer quando você depender dele da mesma maneira que José dependia. Ele não tinha nada. Não podia confiar nas suas habilidades ou na sua experiência (José nunca havia sido um escravo), nem podia confiar nos seus contatos naturais (seu pai estava fora de cena porque acreditava que seu filho havia sido morto por um animal selvagem). Tudo o que José tinha era a presença do Senhor, de quem dependia para manifestar a Sua presença, o Seu poder e a Sua glória através da sua vida!

É isto que você e eu precisamos — de uma manifestação da Sua presença em tudo o que fazemos! Veja bem, uma coisa é ter a Sua presença (todos os cristãos têm a Sua presença porque eles o aceitaram como seu Senhor e Salvador), mas quando a presença de Deus é manifesta na sua vida, é aí que a Sua glória brilha através de você!

Não se esqueça de que o senhor de José, Potifar, não era um crente em Deus. Era um egípcio adorador de ídolos. Mas, quando a presença manifesta do Senhor brilhava gloriosamente através da obra das mãos de José, até aquele pagão incrédulo podia ver os resultados palpáveis daquela unção especial, do poder e da bênção do Senhor sobre a vida de José. Potifar maravilhou-se e não podia fazer outra coisa senão reconhecer que o Senhor estava com José, e que "tudo que ele fazia o Senhor prosperava em suas mãos".

Ora, não é interessante o fato de Potifar não ter simplesmente concluído que José era um bom trabalhador? Em vez disso, Potifar pôde ver que não eram as habilidades de José, mas sim, o seu Deus que estava prosperando tudo que José colocava as mãos para fazer. Gênesis 39:3 nos diz que "tudo que ele fazia o Senhor prosperava em suas mãos". Isto não poderia ser "discernimento espiritual" por parte de Potifar — ele não era um crente e não tinha discernimento espiritual no que se refere às coisas de Deus. Então, isso me diz que Potifar deve ter testemunhado resultados palpáveis que estavam realmente fora deste mundo. Ele deve ter visto resultados que eram tão espetaculares que nem podia imaginar, pois estavam além da capacidade de um ser humano comum!

Talvez Potifar tenha ordenado a José que cavasse novos poços para a sua família e cada poço cavado por ele tenha produzido água mesmo em meio a uma seca. Talvez o campo sob os cuidados de José tenha produzido colheitas avassaladoramente maiores do que as colheitas dos campos vizinhos. Talvez Potifar tenha visto como José clamava ao seu Deus quando as crianças da casa estavam sofrendo de alguma epidemia que atacava a terra, e eram todas curadas. Seja qual for o caso, Potifar sabia que os resultados prósperos testemunhados por ele não eram resultado da capacidade natural de José. Tinham ocorrido em função de o Senhor estar com José, e Deus fazia com que tudo prosperasse em suas mãos. Isso não é lindo? Meu amigo, Deus quer fazer o mesmo na sua vida hoje. Veja-o conduzindo e abençoando você, e aumentando a sua eficácia hoje!

Oração de Hoje

Pai, apesar das circunstâncias negativas em minha vida, obrigado por me lembrar de que este não é o fim para mim. Terei êxito porque Tu estás comigo. O Teu favor imerecido sobre mim fará com que o trabalho das minhas mãos prospere e dê resultados sobrenaturalmente bons. Verei tudo o que Tu colocaste em minhas mãos ser abundantemente abençoado!

Pensamento de Hoje
Posso ter êxito além das minhas capacidades naturais e apesar de qualquer ambiente negativo porque o Senhor está comigo.

Reflexão de Hoje sobre o Favor

DIA 12

Comece o Seu Dia com Jesus

Versículo de Hoje

Bom é render graças ao SENHOR e cantar louvores ao teu nome, ó Altíssimo, anunciar de manhã a tua misericórdia e, durante as noites, a tua fidelidade. — Salmos 92:1-2

Você sabia que Deus prometeu que nenhuma arma forjada contra você prosperará (Isaías 54:17)? No entanto, Ele não prometeu que não seriam forjadas armas contra você. Ele prometeu que ainda que fossem forjadas armas contra você, elas não o feririam e nem o derrotariam.

Comece o seu dia com Jesus — praticando observar a Sua presença, entregando seus planos a Ele e confiando nele para lhe dar o Seu favor imerecido, a Sua sabedoria e a Sua força para este dia.

Existe todo tipo de arma forjada contra a humanidade, principalmente nestes últimos dias. Pense simplesmente nos muitos tipos de vírus, enfermidades e doenças mortais. Quando você liga a televisão e assiste aos noticiários, tudo o que parece ouvir é sobre guerras, conflitos, desastres, colapsos financeiros, violência, desemprego, fome e novas variedades de vírus mortais. É impressionante quantas pessoas acordam pela manhã e a primeira coisa que fazem é pegar o jornal e ler más notícias antes de irem para o trabalho. Depois, bem antes de se deitarem, assistem ao noticiário novamente!

Agora, por favor, entenda que não sou contra ler os jornais ou assistir ao noticiário, ou assistir à TV com a finalidade de estar bem informado. Mas quero encorajá-lo a começar seu dia com Jesus, praticando observar Sua presença, reconhecendo-o, entregando os seus planos a Ele, e confiando nele para lhe dar o Seu favor imerecido, a Sua sabedoria e a Sua força para cada dia. Lembre-se de ser como José na Bíblia. O Senhor era com José e ele era um homem próspero! O seu sucesso não vem como consequência de você estar a par do descobrimento mais recente de um vírus ou por estar ciente do último desastre. Não, o seu sucesso virá em consequência de você estar sintonizado com a presença de Jesus em sua vida!

Existem muitas pessoas na minha igreja que começam o dia todas as manhãs participando da Santa Ceia, não como um ritual, mas como um momento para se lembrar de Jesus e do poder da Sua cruz. Elas olham para Jesus para lhes dar a Sua força, para receber a Sua vida divina para os seus corpos físicos enquanto comem o pão. Renovam a sua consciência em relação ao dom gratuito da justiça comprado pelo sangue de Jesus na cruz enquanto bebem do cálice. Que maneira boa de começar o dia!

Também cheguei à conclusão de que o último pensamento antes de você se deitar é muito importante. Já fiz isso antes e você também pode fazer — ir se deitar pensando em Jesus, dando graças a Ele pelo dia que passou. Você também pode meditar em uma das Suas promessas, como a que se encontra em Isaías 54:17. Simplesmente diga: "Obrigado, Pai. A Tua Palavra declara que nenhuma arma forjada contra mim prosperará!" Na maioria das vezes, acordo me sentindo rejuvenescido, renovado e cheio de energia, embora não tenha dormido muitas horas.

Por outro lado, se eu for me deitar apenas com o que acabei de ouvir no noticiário na minha mente, posso dormir por muito mais horas do que o normal, mas ainda acordo me sentindo cansado. Às vezes até sentindo dor de cabeça. Você já passou por isso? Bem, você não precisa se sentir assim novamente. Faça um sanduíche do seu dia com a presença de Jesus. Comece o dia com Ele, desfrute a Sua presença durante o dia e termine o dia com Ele em sua mente!

Oração de Hoje

Senhor Jesus, obrigado pela Tua presença comigo hoje. Ajuda-me a ser mais consciente do Teu favor imerecido para comigo do que das más notícias com as quais as pessoas se preocupam. Hoje, entrego todos os meus planos a Ti, sabendo que o Teu favor imerecido, a Tua sabedoria e a Tua força estão sempre comigo para me prosperar e me dar êxito.

Pensamento de Hoje
Vou fazer um sanduíche do meu dia com a presença de Jesus.

Reflexão de Hoje sobre o Favor

DIA 13

Pratique a Consciência da Presença de Jesus e Veja o Seu Poder

Versículo de Hoje

Mas o SENHOR está comigo como um poderoso guerreiro; por isso, tropeçarão os meus perseguidores e não prevalecerão... — Jeremias 20:11

Você sabia que o melhor momento para agradecer a Jesus pela Sua presença é quando você não "sente" a Sua presença? No que se refere à presença de Jesus, não se deixe levar pelos seus sentimentos. Os sentimentos podem ser enganosos. Caminhe de acordo com a Sua promessa de que Ele é Emanuel — Deus conosco!

**Os sentimentos não se baseiam na verdade.
A Palavra de Deus é a verdade!**

Você já ouviu a história de um noivo que se aproximou do pastor imediatamente após a cerimônia de seu casamento? Ele foi até o seu pastor e disse: "Pastor, posso falar com o senhor por um segundo?"

"É claro", respondeu o pastor.

O noivo disse: "Sabe de uma coisa, não me **sinto** casado."

O pastor agarrou-o pelo colarinho e grunhiu: "Escute aqui, garoto. Você ESTÁ casado quer sinta isso ou não, está entendendo? Simplesmente aceite pela fé que você está casado!"

Como pode ver, meu amigo, você não pode seguir os seus sentimentos. Siga a verdade, e a verdade é esta: Deus prometeu, "Nunca vos deixarei nem vos abandonarei". Portanto, a melhor hora para praticar estar consciente da Sua presença é exatamente quando você se **sente** como se Jesus estivesse a

100 mil quilômetros de distância. Lembre-se de que os sentimentos não se baseiam na verdade. A Palavra de Deus é a verdade!

Logo depois que me formei no ensino secundário, fui trabalhar em um emprego de meio expediente dando aulas em uma escola de ensino fundamental onde fiquei encarregado de uma turma de crianças de 10 anos. Lembro-me de um dia em que eu estava praticando me conscientizar da presença de Deus, então me ajoelhei na minha sala e orei: "Senhor, eu Te agradeço porque Tu estás sempre comigo." Enquanto estava de joelhos, o Senhor me disse para orar especificamente por uma das meninas da minha turma que havia faltado à aula naquele dia.

Ora, é muito comum as crianças perderem aulas de vez em quando por diversos motivos, e eu nunca havia sido direcionado pelo Senhor a orar especificamente por nenhuma delas. Aquela menina era a primeira! O Senhor me disse muito claramente para orar para que a proteção dele estivesse sobre aquela menina e para cobri-la com o Seu precioso sangue.

No dia seguinte, houve uma grande comoção na escola e descobri que ela havia sido raptada por um famoso assassino em série naquela mesma tarde quando o Senhor me disse para orar por ela. O assassino, Adrian Lim, havia raptado diversas crianças para serem oferecidas em sacrifício ao diabo. Ele acreditava que Satanás lhe daria poder quando ele lhe oferecesse o sangue daquelas crianças.

Durante os dois dias seguintes, aquela menina da minha turma estava em todos os noticiários nacionais porque havia sido liberta milagrosamente. Infelizmente, ela foi a única menina liberta. Todas as outras crianças raptadas haviam sido brutalmente assassinadas.

Quando ela voltou às aulas, perguntei-lhe como foi liberta. Ela me disse que o sequestrador estava "orando" sobre ela quando de repente ele parou e lhe disse: "Os deuses não querem você." Ela foi liberada rapidamente naquela noite. É claro que você e eu sabemos por que os "deuses" não a quiseram — ela estava coberta e protegida pelo sangue de Jesus!

Ouça o que estou dizendo aqui. Hoje, em todo o mundo, o diabo está tentando destruir uma nova geração, pois ele tem medo de que os jovens do novo milênio tomem posse do mundo para Jesus. É por isso que precisamos cobrir os nossos filhos com a proteção de Jesus.

Estou compartilhando tudo isso com você, pois quero que veja a importância e o poder de praticarmos a consciência da Sua presença. Como professor durante aquele período, a minha turma era minha responsabilidade, assim como a minha congregação é a minha responsabilidade hoje. Pense comigo: como eu poderia, com meu conhecimento e inteligência finitos, saber que uma de minhas alunas estava correndo um sério perigo? Isso não seria possível! Mas pelo fato de o Senhor, que sabe todas as coisas, estar comigo, Ele me capacitou a fazer a diferença na vida da minha aluna.

Do mesmo modo, seja qual for o seu papel ou vocação, quer você seja um professor, um líder empresarial ou uma dona de casa, quero que saiba: Jesus está com você e Ele quer fazer de você um sucesso. Agora, lembre-se de que tudo isso aconteceu comigo antes que eu me tornasse pastor em tempo integral, portanto, por favor, não pense que esse favor imerecido de Jesus é apenas para pastores. Amado, o favor imerecido dele é para você. O Senhor Emanuel está **com você**.

Oração de Hoje

Pai, eu Te agradeço porque Tu estás sempre comigo. Tu nunca me deixarás nem me abandonarás. E porque a Tua presença está sempre comigo, sou sempre protegido, abençoado, determinado e eficaz em tudo que preciso fazer e em todos os lugares e papéis em que me encontro.

Pensamento de Hoje

Quer eu sinta a Sua presença ou não, o Senhor Emanuel está comigo agora.

Reflexão de Hoje Sobre o Favor

_____
_____
_____
_____
_____

DIA 14

Os Seus Medos e Ansiedades Desaparecem na Presença de Deus

Versículo de Hoje

Derretem-se como cera os montes, na presença do SENHOR...
— *Salmos 97:5*

Independentemente de onde você estiver, o Senhor está com você. Até mesmo em meio aos seus medos, enquanto você está sozinho no seu quarto, Ele está ali com você.

No instante em que você começar a ter consciência da Sua presença e a cultivar, todos os seus medos, ansiedades e preocupações se derreterão como manteiga em um dia quente, ou como o salmista Davi diz: "Derretem-se como cera os montes na presença do Senhor..."

A presença do Senhor é necessária para mantê-lo livre da preocupação.

Você não pode tentar se preparar psicologicamente para perder o medo nem para deixar a preocupação. Você não pode simplesmente dizer para si mesmo: "Vamos lá, pare de se preocupar. Não há motivo para se preocupar." Isso simplesmente não funciona. A dívida vai continuar encarando-o de frente e os seus problemas ainda serão tão intransponíveis quanto sempre foram por mais que você tente se preparar psicologicamente. É isso que o mundo está tentando fazer, mas não funciona. É preciso a presença do Senhor para mantê-lo livre da preocupação.

Jesus não está lhe pedindo para se preparar psicologicamente e viver em um estado de negação do problema. De modo algum! Ele está lhe dizendo: "Em meio à sua aflição, Eu sou o seu escudo. Eu sou o seu defensor. Eu sou a sua fortaleza. Eu sou o seu refúgio. Eu sou o seu suprimento. Eu sou a sua cura. Eu sou o seu provedor. Eu sou a sua paz. Eu sou a sua alegria. Eu sou a sua sabedoria. Eu sou a sua força. Eu sou a glória e Aquele que levanta a sua cabeça!" (Salmos 3:3). Amém! Ele não está lhe pedindo para fingir que os fatos não existem. Ele quer que você entenda que ELE ESTÁ COM VOCÊ!

Quando você sabe que Deus está ao seu lado e que você pode contar com Ele, e coloca os seus problemas nas Suas poderosas mãos, você começa a fazer uma avaliação mais precisa do quanto os seus problemas são "grandes". Quando eles estavam em suas mãos, o peso e o fardo dos seus problemas podem tê-lo esmagado. Mas quando você envolve Jesus, os problemas que um dia foram monumentais se tornam microscópicos em comparação com a grandeza do Seu amor e da Sua bondade para com você!

Hoje, enquanto considera tudo que precisa fazer e as expectativas que são colocadas sobre você, veja Jesus aí ao seu lado. Ele é o seu suprimento, sua sabedoria, sua paz e sua força.

Oração de Hoje

Pai, eu reconheço o fato de que não posso fazer desaparecer como por encanto os meus medos e preocupações. Mas posso lançar todas as minhas ansiedades em Tuas mãos, nas mãos daquele que é o meu escudo, cura, provisão, paz, sabedoria e força. Obrigado pela Tua graça e por cuidar de todos os meus problemas hoje.

Pensamento de Hoje

Quando você lança os seus problemas monumentais sobre Jesus, eles se tornam microscópicos em Suas poderosas mãos.

Reflexão de Hoje Sobre o Favor

_____

_____

_____

DIA 15

Deus Está do Seu Lado Hoje!

Versículo de Hoje

Se Deus é por nós, quem será contra nós? — Romanos 8:31

Romanos 8:31 contém uma pergunta retórica poderosa e eu o encorajo a memorizá-la. Infelizmente, ainda existem alguns crentes hoje se perguntando: "Deus realmente é por mim?" Bem, meu amigo, a Palavra de Deus NÃO diz: "**Talvez** Deus seja por nós" ou "**Esperamos** que Deus seja por nós". Ela simplesmente diz: "Se Deus é por nós, quem será contra nós?" Na verdade, quando Deus é por você, que oposição pode ter êxito contra você? Quando o próprio Deus luta a seu favor, defende-o e o vinga, que adversidade ou adversário pode se levantar contra você? Nenhum! Aleluia!

Deus é por você hoje por causa do sangue do Cordeiro perfeito — Jesus Cristo.

"Mas, Pastor Prince, como Deus passou a estar do nosso lado? Embora eu seja um cristão hoje, ainda falho e deixo a desejar no que se refere aos padrões de santidade de Deus. Em alguns momentos ainda perco a calma ao longo do caminho e, de tempos em tempos, ainda fico irado com minha esposa e filhos. Por que Deus ficaria do meu lado quando falho? Você não sabe que Deus é santo?"

Todas estas são ótimas perguntas. Deixe-me lhe dizer por que Deus está do nosso lado. A resposta encontra-se na cruz. O sangue que Jesus Cristo, o Filho de Deus, derramou na cruz colocou Deus do nosso lado. Hoje, Deus pode ser por você mesmo quando você falha, porque o sangue de Jesus o lavou deixando-o mais alvo do que a neve!

Você já assistiu ao filme de Cecil DeMille, *Os Dez Mandamentos,* ou ao desenho animado *O Príncipe do Egito*? Lembra-se do que aconteceu na noite da Páscoa? Os filhos de Israel colocaram o sangue do cordeiro nas vergas das portas. O que o sangue fez? O sangue colocou Deus do lado deles! Nenhuma das famílias que havia aplicado o sangue nas vergas das suas portas precisou temer a morte de seus primogênitos.

Agora, pense nisso por um instante. Os primogênitos de Israel foram poupados naquela noite por causa do seu comportamento e conduta perfeitos ou eles foram poupados por causa do sangue do cordeiro? É claro que foi por causa do sangue do cordeiro!

Da mesma forma, Deus não o abençoa, um crente da nova aliança, com base no seu comportamento e conduta perfeitos. Ele **é por você** hoje por causa do sangue do Cordeiro perfeito — Jesus Cristo. É por isso que como crentes hoje, não temos de lutar por nós mesmos. Gosto de dizer isso da seguinte forma: "Se Deus é por nós, quem pode vir com sucesso contra nós?"

Lembre-se sempre de que Deus está do seu lado hoje por causa do sangue de Jesus. A santidade e a justiça de Deus que os homens temem agora estão do seu lado e todos os recursos do céu são seus por causa do sangue de Jesus! Ora, quem pode ter êxito em vir contra você? Nenhuma doença, nenhuma enfermidade, nenhum credor, nenhuma acusação maligna, nenhuma fofoca — nenhuma arma forjada pode ter êxito em se levantar contra você (Isaías 54:17)!

Oração de Hoje

Pai, eu Te agradeço porque Tu estás do meu lado e Tu és por mim hoje por causa do sangue que Jesus derramou na cruz. A Tua santidade, a Tua justiça e o Teu favor estão ao meu lado e todos os recursos do céu são meus não por causa da minha bondade, mas somente por causa do sangue de Jesus. Ajuda-me a lembrar que por causa do benefício feito pelo sangue por mim, para sempre, Tu és por mim e pelo meu bem-estar para toda a eternidade.

Pensamento de Hoje

Se Deus é por mim por causa do sangue de Jesus, então ninguém — nada — pode se levantar com êxito contra mim nem nenhuma ferramenta prosperará contra mim.

Reflexão de Hoje Sobre o Favor

DIA 16

Há Algo Especial em Você

Versículo de Hoje

Vós, porém, sois raça eleita, sacerdócio real, nação santa, povo de propriedade exclusiva de Deus, a fim de proclamardes as virtudes daquele que vos chamou das trevas para a sua maravilhosa luz. — 1 Pedro 2:9

É a presença manifesta do Senhor, o Seu glorioso poder operando no seu coração e através das suas mãos, que fará com que tudo que você toque prospere com os resultados dignos de Jesus. Na verdade, até o seu pior crítico será forçado a concluir que o Senhor está com você e está prosperando as obras das suas mãos!

Porque Jesus está com você, espere ter sucesso em tudo o que fizer!

Amado, pare de olhar para as suas circunstâncias externas ou para a posição em que você se encontra. Quer o seu patrão seja crente ou não, Jesus pode fazer com que TUDO o que você fizer prosperar quando você depender do Seu favor imerecido na sua carreira! E acredite-me, quando isso começar a acontecer, o seu patrão se levantará e perceberá que há algo especial em você. Você vai sobressair em meio à multidão! Lembre-se de que o mesmo Senhor que estava com José está com você hoje. O nome dele é Jesus e porque Jesus está com você, então pode esperar ter sucesso em tudo que fizer!

Por exemplo, quando você for chamado para administrar um projeto de vendas, acredite que a sua equipe atingirá níveis de venda recordes nunca alcançados antes na sua empresa. Quando estiver supervisionando as finanças de uma empresa, acredite que encontrará meios legais de ajudá-la a economizar nas despesas operacionais e aumentar o fluxo de caixa como nunca. Quando for convocado para desempenhar um papel na área de desenvolvimento de negócios, acredite que Jesus fará com que portas que sempre estiveram fechadas para a sua empresa sejam abertas para você por causa do favor imerecido de Deus sobre a sua vida. Talvez a sua empresa seja apenas uma pequena empresa de telecomunicações no Vale do Silício, mas por algum motivo, todas as pessoas importantes da Microsoft, IBM e Oracle gostam de você. Elas não podem dizer o que é, mas há algo especial em você que faz com que comecem a competir para descobrir formas de colaborar com você, deixando-o sem saber qual delas escolher!

Talvez você seja uma dona de casa. Se for o caso, você também pode esperar que a presença de Jesus em sua vida lhe dê favor junto a seus filhos. Em vez de eles resistirem e discutirem constantemente com você, acharão que suas palavras são irresistíveis, assim como você. Deus pode aumentar a sua influência sobre eles.

Meu amigo, este é o favor imerecido de Deus em ação. Na esfera natural, você pode não estar qualificado nem ter experiência, mas lembre-se de que todas as suas desqualificações existem na esfera do natural. Mas você, amado, vive e atua na dimensão sobrenatural! O Senhor Jesus está com você em todas as áreas e em todo o tempo. Você é uma pessoa de sucesso aos olhos do Senhor e à medida que depender dele, Ele fará com que tudo que as suas mãos toquem prospere.

Oração de Hoje

Senhor Jesus, eu Te agradeço porque tenho favor junto aos meus patrões, meus colegas e clientes porque Tu estás comigo. E por causa da Tua presença em minha vida, sei que não posso evitar ter êxito em meus projetos e funções. Decido não dar atenção à minha falta de qualificação e experiência. Em vez disso, espero ter sucesso nos meus relacionamentos com as pessoas e em tudo que preciso fazer hoje.

Pensamento de Hoje

Sou especial porque Jesus está comigo!

Reflexão de Hoje Sobre o Favor

DIA 17

Sem Jesus, Nada Podemos Fazer
Sem Nós, Ele Nada Fará

Versículo de Hoje

Eu sou a videira, vós, os ramos. Quem permanece em mim, e eu, nele, esse dá muito fruto; porque sem mim nada podeis fazer. — João 15:5

Em mais de duas décadas de ministério, aprendi isto com o Senhor: **sem Ele, nada podemos fazer. Sem nós, Ele nada fará.** O que isso significa é simplesmente que precisamos reconhecer o fato de que se não dependermos de Jesus, não pode haver sucesso real, duradouro e permanente — sem Ele, nada podemos. A Bíblia nos diz que se o Senhor não edificar a casa, trabalhamos em vão (Salmos 127:1). Os crentes que querem experimentar o sucesso que vem de Deus precisam reconhecer esta verdade e começar a depender de Jesus e somente de Jesus.

Se não dependermos de Jesus, não pode haver sucesso real, duradouro e permanente.

Há alguns crentes que podem não confessar, mas no coração deles acreditam que sem Jesus ainda podem ter êxito. Crendo e agindo dessa forma, eles saem do lugar elevado da graça de Deus (o Seu favor imerecido) e caem de novo na lei, voltando a tentar merecer sucesso pelos seus próprios esforços. A Palavra de Deus nos diz: "Porque se vocês estão tentando se colocar em posição de justiça diante de Deus guardando a lei, vocês foram cortados de Cristo! Vocês decaíram da graça [favor imerecido] de Deus" (Gálatas 5:4, New Living Translation, tradução nossa).

Estas são palavras sérias de advertência. Ao começar a depender dos seus próprios méritos e esforços para merecer o favor de Deus, você está se colocando novamente sob o sistema da lei. Você está cortado de Cristo e caiu do lugar onde tinha o Seu favor imerecido operando em sua vida. Não me entenda mal, Jesus ainda está com você (Ele jamais o deixará nem o abandonará, como diz Hebreus 13:5), mas ao depender do seu esforço próprio você efetivamente corta o Seu favor imerecido da sua vida.

Então, o que quero dizer quando falo: "Sem nós, Ele nada fará"? Bem, Jesus é um cavalheiro. Ele não vai enfiar o Seu favor imerecido e o Seu sucesso pela sua garganta abaixo. Ele precisa que você lhe permita trabalhar em sua vida. Jesus espera pacientemente que você confie nele. Ele espera pacientemente que você dependa do Seu favor imerecido, assim como José confiava e dependia inteiramente da presença do Senhor, até a Sua presença manifesta assumir o controle, e a Sua glória irradiar sobre tudo o que José tocava.

Amado, vamos aprender depressa que sem Jesus não podemos ter êxito, e se escolhermos não receber Seu favor imerecido, Ele não vai impô-lo a nós. O favor imerecido de Deus está sempre fluindo em nossa direção e Jesus está esperando que esgotemos nossos recursos próprios. Ele está esperando que você pare de lutar e de tentar "merecer" de alguma forma o Seu favor, e simplesmente dependa dele. Assim, nas áreas que você ainda está dependendo dos seus próprios esforços para obter êxito, comece a descansar no favor imerecido de Jesus e a experimentar Sua presença manifesta e Sua glória sobre tudo o que você tocar!

Oração de Hoje

Senhor Jesus, reconheço que sem Ti, não posso ter sucesso duradouro. Por favor, aumenta a minha capacidade de receber o Teu favor imerecido que está sempre fluindo em minha direção. Hoje, decido depender do Teu favor imerecido. Quero experimentar a Tua presença manifesta e a Tua glória em tudo que eu tocar.

Pensamento de Hoje

Vou parar de me esforçar para ganhar o que quero pelas minhas próprias tentativas. Vou depender de Jesus e receber o Seu favor imerecido.

Reflexão de Hoje Sobre o Favor

DIA 18

Que Grande Amigo Temos em Jesus

❖

Versículo de Hoje

... há amigo mais chegado do que um irmão. — *Provérbios 18:24*

Meu amigo, Deus está com você hoje por causa do Seu precioso Filho, Jesus. Porque Deus amou o mundo de tal maneira, que deu o Seu Filho unigênito, e o nome dele é Emanuel. Deus nos deu Jesus. A presença de Jesus na sua vida é um dom gratuito de Deus. Não há bem suficiente que você possa fazer para merecer a presença de Jesus. Não há boas obras suficientes que você possa realizar para merecer o Seu favor. A Sua presença na sua vida é um dom gratuito. Agora, porque você não fez nada para merecer a Sua presença em sua vida, nada que você possa fazer será capaz de conseguir que a Sua presença o deixe. Uma vez que você recebeu Jesus no seu coração, Ele nunca o deixará nem o abandonará (Hebreus 13:5)!

Jesus é um amigo fiel, confiável e fidedigno.

"Mas, Pastor Prince, quando eu falho, Jesus não me abandona?"

Não, Jesus está bem ao seu lado para encorajá-lo e restaurá-lo à integridade. Você pode dizer: "Mas eu não mereço isso!" É verdade. E é justamente isso que o torna o Seu favor **imerecido** em sua vida. Há um lindo salmo que diz: "O SENHOR firma os passos do homem bom e no seu caminho se compraz; se cair, não ficará prostrado, porque o Senhor o segura pela mão" (Salmos 37:23-24). Quando você falha, Jesus está lá para sustentá-lo. Diferentemente de alguns dos seus supostos "amigos", Ele não desaparece nesses momentos. Você pode contar com Ele. Jesus é um amigo fiel, confiável e fidedigno. Mesmo quando você o desaponta, Ele está bem aí com você, pronto para restabelecê-lo e restaurar sua integridade. Amém! A Bíblia fala sobre um amigo que "é mais chegado que um irmão". Este é Jesus! Amado, dependa da Sua presença constante. Recorra à Sua força e apoio infalíveis para você hoje.

Oração de Hoje

Senhor Jesus, eu Te agradeço porque mesmo quando cair, não ficarei totalmente prostrado, porque Tu me sustentarás com a Tua destra fiel. Posso contar contigo para me levantar e me restaurar à integridade. Obrigado pela Tua fidelidade para comigo e por Tua presença infalível e confiável em minha vida todos os dias.

Pensamento de Hoje

Mesmo quando eu o desaponto, Jesus está bem ali comigo, pronto para me restabelecer e restaurar a minha integridade.

Reflexão de Hoje Sobre o Favor

___
___
___
___
___
___
___
___
___
___
___
___
___
___
___

DIA 19

Abençoado com Sucesso Para Ser uma Bênção

Versículo de Hoje

De ti farei uma grande nação, e te abençoarei, e te engrandecerei o nome. Sê tu uma bênção! — Gênesis 12:2

Não se engane quanto a isto: Deus quer que tenhamos êxito. No entanto, Ele não quer que tenhamos um sucesso capaz de nos esmagar. Estou certo de que você já ouviu muitas histórias de pessoas que tiveram uma sorte inesperada e receberam uma grande herança ou ganharam o prêmio principal na loteria. Entretanto, algumas delas não passaram a ter uma vida melhor por causa da riqueza repentina. Em vez disso, sabemos que a riqueza corrompeu e destruiu suas vidas.

Deus quer abençoá-lo para que você possa ser uma bênção!

Com muita frequência, essas pessoas não são capazes de lidar com seu suposto sucesso, e acabam abandonando seus cônjuges e permitindo que suas famílias sejam destruídas diante dos seus olhos. Talvez elas tenham comprado todo tipo de coisas e morado em enormes mansões. No entanto, ainda tinham uma sensação crônica de solidão, vazio e insatisfação. A triste realidade é que muitos daqueles que tiveram a chance de receber uma riqueza de forma tão repentina desperdiçaram-na toda, e alguns até foram à falência. Essas situações evidentemente não têm nada a ver com Jesus, e esse também não é o tipo de sucesso dado por Deus. Deixe-me esclarecer bem isso desde o princípio: Deus não tem problema com o fato de você ter dinheiro, mas Ele não quer que o dinheiro possua você!

"Mas Pastor Prince, como o senhor pode dizer que Deus não tem problema com o fato de termos dinheiro? A Bíblia não diz que o dinheiro é a raiz de todos os males?"

Espere um minuto, isso não está na Bíblia. Vamos ser biblicamente precisos. O que a Bíblia diz é isto: "Pois o amor ao dinheiro é a raiz de todos os males..." (1 Timóteo 6:10). Você consegue ver a diferença? Ter dinheiro não o torna uma pessoa má. É a obsessão pelo dinheiro e o amor intenso por ele que leva a todo tipo de mal. Só porque uma pessoa não tem dinheiro no bolso não significa que ela é santa. Ela pode muito bem estar pensando, sonhando e ansiando por dinheiro o dia inteiro. Você não precisa ter muito dinheiro para ter amor pelo dinheiro. Se uma pessoa está sempre comprando bilhetes de loteria, indo aos cassinos e investindo na bolsa de valores, ela evidentemente tem amor pelo dinheiro. Essa pessoa é obcecada por ter mais dinheiro.

Quando Deus chamou Abraão, Ele lhe disse: "... te abençoarei... Sê tu uma bênção" (Gênesis 12:2). Nós que somos crentes em Cristo da nova aliança somos chamados de "a semente de Abraão" (Gálatas 3:29) e assim como Abraão, somos chamados para sermos uma bênção. Ora, para início de conversa, como poderemos ser uma bênção se não formos abençoados? Como podemos ser uma bênção para outros quando estamos sempre caindo doentes, enfrentando dificuldades financeiras, sem nunca termos o suficiente para nossa própria família e sempre precisando pedir dinheiro emprestado a outros? Isso é impossível, meu amigo. Deus quer que você seja saudável e forte, e Ele quer que você tenha recursos financeiros mais do que suficientes para ter condições de ser generoso com seus parentes, amigos, sua comunidade ou com qualquer pessoa que precise de ajuda. Como você pode estar na posição de ajudar os outros se você precisa de toda a ajuda possível para si mesmo? Definitivamente não é o melhor de Deus para você não ter o suficiente para si mesmo. Ele quer abençoá-lo para que você possa ser uma bênção!

Oração de Hoje

Pai, obrigado por querer me abençoar com mais do que o suficiente, para que eu possa ser uma bênção para outros, principalmente para os que estão necessitados. Dá-me o tipo de sucesso de Jesus, aquele que não vai me esmagar, mas será sim um testemunho da Tua graça e bondade.

Pensamento de Hoje
Deus não tem problema com o fato de você ter dinheiro, mas Ele não quer que o dinheiro possua você!

Reflexão de Hoje Sobre o Favor

DIA 20

O Segredo do Bom Sucesso

Versículo de Hoje

A bênção do SENHOR enriquece, e, com ela, ele não traz desgosto. — Provérbios 10:22

Deus não quer simplesmente que você tenha sucesso na vida. Ele quer que você tenha um bom sucesso. Existe "mau sucesso"? Sim, existe, e estou certo de que você já viu isso por si mesmo. Há pessoas que são grandes empreendedoras segundo a definição do mundo. Talvez sejam aquelas que agitam e movimentam a economia, celebridades famosas que moram em apartamentos fabulosos ou astros do esporte que ganham milhares de dólares por semana batendo em uma bola ou chutando-a. Entretanto, para algumas dessas pessoas, o que elas têm é apenas sucesso em acumular riquezas.

Ter sucesso financeiro apenas não é ter bom sucesso. O bom sucesso é integral e permeia cada área da sua vida.

Mas, meu amigo, ter sucesso financeiro apenas não é ter bom sucesso. O bom sucesso é integral e permeia cada área da sua vida. Se você desse uma olhada mais de perto nas pessoas que têm apenas sucesso financeiro, descobriria que outras áreas das suas vidas estão sofrendo. Por exemplo, enquanto elas ganham muito dinheiro, suas vidas podem ser marcadas por vários casamentos destruídos. Amado, ser um sucesso público, mas um fracasso particular não é bom sucesso, de modo algum!

Há pessoas que são promovidas tão rapidamente e assumem tantas responsabilidades profissionais que não têm mais tempo de colocar seus próprios filhos na cama ou de ler uma história para os seus pequeninos na hora de dormir. Elas se tornam vítimas do seu próprio sucesso na carreira, e para ficarem com o "sucesso" que geraram em um mundo corporativo implacável, permitem que suas vidas passem por elas como um raio. Pessoas assim podem ter ganhado mais dinheiro do que realmente necessitam, mas não podem desfrutar a vida com seus cônjuges, e seus filhos crescem sem realmente conhecê-las.

Entenda isto: ainda que você ganhe uma corrida de ratos (a corrida destrutiva e desenfreada para o topo) depois de correr de um lado para o outro o dia inteiro, tudo que você conquistará será o *status* de rato número 1! Será que realmente vale a pena sacrificar seu casamento e os seus filhos por isso? Não se enterre ao subir a escada do sucesso. Certifique-se de que a sua escada esteja encostada na edificação certa, e não espere chegar até o topo para perceber que não era exatamente isso que você queria da vida.

Costumo dizer aos membros de minha congregação que eles devem crer em Deus não apenas para que Ele lhes dê um emprego, mas também devem depender do Seu favor para terem uma **posição de influência**. Entretanto, também lembro-lhes de que devem ter cuidado para não serem promovidos a uma posição que esteja *fora* do lugar onde estão as suas bênçãos, pois nem toda promoção é necessariamente o melhor de Deus para cada um deles.

Você sabia que pode ser promovido para uma posição distante do bom sucesso que está desfrutando atualmente, na qual você usufruirá apenas de um sucesso parcial? Esta promoção que você recebe também pode vir com novas responsabilidades, fazendo com que você comprometa o seu tempo com a sua família e afastando-o da casa de Deus. De repente, em vez de estar lá no domingo de manhã e levar seus filhos para um piquenique depois da igreja, você possivelmente estará no escritório todos os finais de semana. Talvez precise responder a *e-mails* urgentes, resolver crises importantes, participar de reuniões de diretoria inadiáveis ou ter outra viagem de negócios crucial para fazer. Veja, tudo até pode parecer muito legítimo, mas será esse o bom sucesso que Deus quer para você?

Ouça com atenção o que estou dizendo. Sou totalmente a favor de você ser promovido no seu trabalho. Na verdade, acredito que Deus pode promovê-lo muito além das suas qualificações educacionais e da sua experiência profissional! Basta olhar o que Deus fez por José. Ele foi promovido de escravo (a posição mais baixa possível) a supervisor da casa de Potifar. E mesmo quando foi lançado na prisão, o favor do Senhor fez com que ele fosse promovido novamente e ele se tornou supervisor de todos os prisioneiros.

José experimentou uma promoção após a outra, até se tornar primeiro-ministro do Egito (a posição mais alta possível)! Não há dúvidas de que Deus quer promovê-lo e ajudá-lo a crescer. Mas note que os olhos de José não estavam postos em nenhuma das promoções que ele recebeu. Os seus olhos estavam postos no Senhor a cada passo do caminho, e **essa atitude** o fez estar seguro para a próxima série de promoções e ele cresceu no **bom sucesso** que o Senhor tinha para ele.

Amado, dependa do Seu favor imerecido para levá-lo a uma posição de influência e desenvolvimento, mas também tenha consciência da bondade de Jesus para com você. Isso o manterá andando na trilha do tipo de sucesso que realmente o abençoa e faz de você uma bênção para outros.

Oração de Hoje

Pai, eu Te agradeço pois Tu podes e queres me promover além das minhas qualificações educacionais, capacidades naturais e experiência profissional. Sei que Tu desejas que eu tenha apenas o bom sucesso, por isso Te peço que abras as portas das oportunidades que forem boas para mim e feches as portas que sejam más. Ajuda-me a sempre manter meus olhos em Jesus para que as promoções e o sucesso não tirem o melhor de mim.

Pensamento de Hoje
Fixar os meus olhos em Jesus garante o bom sucesso que Ele tem para mim.

Reflexão de Hoje Sobre o Favor

_____
_____
_____
_____

DIA 21

Garanta o Seu Sucesso — Mantenha os Olhos em Jesus

Versículo de Hoje

Buscai, pois, em primeiro lugar, o seu reino e a sua justiça, e todas estas coisas vos serão acrescentadas. — Mateus 6:33

A Palavra de Deus diz: "Buscai, pois, em primeiro lugar, o seu reino e a sua justiça, e todas estas coisas vos serão acrescentadas." Agora, o que é o reino de Deus? O apóstolo Paulo nos diz em Romanos 14:17 que o reino de Deus não é comida nem bebida, mas "justiça e paz e alegria no Espírito Santo".

> Quanto mais você se concentrar em contemplar Jesus em toda a Sua benignidade e menos se esforçar para conquistar as coisas por seus próprios méritos, mais seguro você se tornará para obter maior sucesso.

Quando você mantém os olhos fixos em Jesus e busca o reino de Deus, que é a justiça de Jesus, a Sua paz e a Sua alegria, a Palavra de Deus promete que "todas estas coisas" lhe serão acrescentadas. "Estas coisas" se referem ao que você irá comer, beber e vestir. Jesus nos diz que você não precisa se deixar consumir por essas preocupações. Se o Seu Pai alimenta até os pássaros do céu, embora eles não semeiem nem colham e nem acumulem em celeiros, quanto mais Ele não cuidará de você, que tem muito mais valor para Ele do que os pássaros (Mateus 6:25-32)!

Amado, mantenha seus olhos em Jesus e na Sua obra consumada na cruz. Ele lhe acrescentará aquilo que você necessita nesta vida e fará com que você tenha sucesso garantido. Agora, vamos comigo até o livro de Jeremias para ver o que o Senhor diz sobre ter riquezas, sabedoria e poder.

Assim diz o Senhor: Não se glorie o sábio na sua sabedoria, nem o forte, na sua força, nem o rico, nas suas riquezas; mas o que se gloriar, glorie-se nisto: em me conhecer e saber que eu sou o Senhor e faço misericórdia, juízo e justiça na terra; porque destas coisas me agrado, diz o Senhor.
— *Jeremias 9:23-24*

Que sejamos um povo que não dependa da nossa própria sabedoria, poder e riquezas (em suma, dos nossos próprios méritos), mas que nosso motivo de orgulho (dependência) esteja em entendermos e conhecermos Jesus. Saiba que Ele é cheio de graça e está repleto de favor imerecido para nos dar. Saiba que Ele executa justiça contra todas as injustiças. Saiba que Ele próprio é justo e nos reveste com Suas vestes de justiça. Quanto mais você se concentrar em contemplar Jesus em toda a Sua benignidade e menos se esforçar para conquistar as coisas por seus próprios méritos, mais seguro você se tornará para obter maior sucesso em sua vida.

Oração de Hoje

Pai, torna-me seguro para ter maior sucesso. Quero conhecer mais sobre a amabilidade de Jesus e a perfeição do Seu amor por mim, para que eu aprenda a não depender da minha sabedoria e força, mas dependa de Jesus e tão somente dele. Por favor, dá-me uma revelação maior da justiça, paz e alegria de Jesus, que irão ajudar a proteger o meu coração da preocupação e dos medos e me tornar seguro para ter maior sucesso.

Pensamento de Hoje

Quando eu buscar a justiça, a paz e a alegria de Jesus, a Palavra de Deus promete que tudo que eu preciso na vida virá atrás de mim!

Reflexão de Hoje Sobre o Favor

_____
_____
_____
_____

DIA 22

Deseje o Favor Imerecido de Deus, Não o Favoritismo das Pessoas

Versículo de Hoje

Os patriarcas, invejosos de José, venderam-no para o Egito; mas Deus estava com ele e livrou-o de todas as suas aflições, concedendo-lhe também graça e sabedoria perante Faraó, rei do Egito, que o constituiu governador daquela nação e de toda a casa real. — Atos 7:9-10.

É importante que você reconheça que existe uma diferença significativa entre o **favor imerecido de Deus** e o **favoritismo das pessoas**. O favor imerecido de Deus baseia-se inteiramente no mérito de Jesus, e nós o recebemos por intermédio da sua obra consumada na cruz. Não fizemos nada para merecer o Seu favor. Ele é completamente imerecido. O favoritismo, porém, cheira a esforço próprio. As pessoas que dependem do favoritismo para terem uma promoção precisam recorrer à bajulação, à política, às táticas de manipulação, às calúnias maldosas e a todo tipo de concessões apenas para conseguir o que querem. Elas envidam todos os seus esforços para abrir portas para si mesmas e, nesse processo, elas se perdem.

Você não precisa depender do favoritismo para manter oportunidades abertas para si mesmo quando tem o favor imerecido de Deus!

Deus tem um caminho maior e melhor para você. Ver Seus preciosos filhos se rebaixarem como bajuladores apenas para avançarem na vida fere o coração de Deus. Se uma porta se fecha, que assim seja! Acredite com plena confiança que Deus tem um caminho melhor para você. Você não precisa depender do favoritismo para manter oportunidades abertas para si mesmo quando tem o favor imerecido de Deus!

Era assim que José agia. Ele dependia do Senhor para ter sucesso, e não do favoritismo, que teria feito com que ele fizesse concessões no que dizia respeito às suas convicções. Quando a mulher de Potifar ficou tentando seduzir José a dormir com ela, José permaneceu firme no fundamento do favor imerecido. Por falar nisso, creio que José enfrentou uma tentação real. Não se esqueça de que Potifar era um oficial de alto escalão, o capitão da guarda e um homem de posição, influência e riqueza. Como um homem do mundo, não teria se casado com uma mulher feia por conta de sua beleza interior e certamente não teria se casado com alguém que aparentasse ser idosa! Ele teria definitivamente escolhido uma mulher jovem e bela para ser sua esposa, e ela provavelmente era uma das mulheres mais bonitas daquela terra.

Assim, não há dúvidas de que ela foi uma tentação real para José, e foi por isso que ele precisou fugir! Aquela mulher não tentou José apenas uma vez. A Bíblia nos diz que: "Falando ela a José todos os dias, e não lhe dando ele ouvidos, para se deitar e estar com ela" (Gênesis 39:10). Mas José recusou-a, dizendo: "Ele [Potifar] não é maior do que eu nesta casa e nenhuma coisa me vedou, senão a ti, porque és sua mulher; como, pois, cometeria eu tamanha maldade e pecaria contra **Deus**?" (Gênesis 39:9).

A partir destas palavras, está claro que José sabia qual era a fonte do seu sucesso, favor e bênçãos. Ele não via o fato de ceder aos apelos da mulher de Potifar como uma grande maldade e pecado apenas contra Potifar, mas contra Deus também. Sabia que todas as bênçãos experimentadas por ele eram resultado do favor **do Senhor** sobre ele. Sabia também que não havia sido Potifar que o havia promovido da posição de escravo subalterno a supervisor de todos os bens de Potifar. Havia sido o Senhor!

Do mesmo modo, na sua vida, saiba e alegre-se porque o Senhor é a fonte das suas bênçãos e do seu sucesso! Você não precisa recorrer à tentativa de ganhar o favor de pessoas importantes. É o favor do Senhor sobre você que o prepara para o reconhecimento, a promoção e o crescimento.

Oração de Hoje

Pai, eu Te agradeço porque Tu és por mim e não contra mim. Tu estás interessado no meu sucesso e porque o Teu favor imerecido está sobre mim, não preciso recorrer à bajulação, à calúnia e nem a qualquer tipo de concessão apenas para ter êxito em minha vida. Hoje, descanso no Teu amor e nos Teus bons planos para estar apto a ter sucesso.

Pensamento de Hoje

Somente Deus é a fonte do meu sucesso, favor e bênçãos.

Reflexão de Hoje Sobre o Favor

DIA 23

Você Jamais Pode Perder a Presença de Deus

Versículo de Hoje

... Porque ele tem dito: "De maneira alguma te deixarei, nunca jamais te abandonarei." — Hebreus 13:5

Houve um tempo sob a lei no Antigo Testamento em que Deus estaria com você somente quando você estivesse em total obediência. Mas quando você falhasse, Ele o deixaria. Hoje, porém, você e eu estamos sob uma aliança completamente diferente e Deus nunca nos abandonará. Por quê? Por causa do que Jesus fez na cruz. Na cruz, Ele se tornou a nossa oferta queimada. Ele levou os nossos pecados e carregou a nossa punição. O juízo de Deus contra os nossos pecados caiu sobre Jesus, que foi abandonado na cruz por Seu Pai para que hoje possamos ter a presença constante e incessante de Deus em nossas vidas.

Quando você está agindo bem, Ele está com você. Mesmo quando você falha, Ele ainda está com você!

Jesus clamou: "Meu Deus, Meu Deus, porque me abandonaste?" Ele fez isto para que você e eu saibamos exatamente o que aconteceu na cruz (Mateus 27:46). Foi ali que a troca divina ocorreu. Na cruz, Jesus recebeu nossos pecados e abriu mão da presença de Deus, enquanto nós recebemos a justiça de Jesus e a presença de Deus que Jesus possuía. A presença de Deus agora é nossa para toda a eternidade. Que troca divina!

Dê uma olhada comigo no que a Bíblia diz sobre a nossa herança em Cristo: "... Porque Ele tem dito: 'De maneira nenhuma te deixarei, jamais te abandonarei'. Assim, afirmemos confiantemente: 'O Senhor é o meu auxílio, não temerei; que me poderá fazer o homem?'" (Hebreus 13:5-6). Que confiança maravilhosa nós podemos ter hoje! Você sabe o que "nunca" significa aqui? Significa que quando você está bem, Ele está com você. Quando está mal, Ele está com você. Quando está feliz, Ele está com você. Quando estiver triste, Ele está com você. Quando você está agindo bem, Ele está com você. Mesmo quando você falha, Ele ainda está com você! É isto que significa o que Jesus disse quando prometeu nunca nos deixar nem nos abandonar!

Caso ainda não esteja convencido, deixe-me lhe mostrar o que diz o texto original grego. Quando Deus disse: "Eu nunca te deixarei, nunca, jamais te abandonarei", uma "dupla negação"[1] é usada para transmitir o sentido mais forte possível para a palavra "nunca" no idioma grego. As palavras gregas *ou me* que são usadas, fundamentalmente significam "nunca nunca" ou "nunca jamais". E esta dupla negação aparece duas vezes nesta única declaração do Senhor. *Ou me* é usado tanto para "nunca" quanto para "nem". Em outras palavras, Deus está dizendo "Eu nunca, nunca te deixarei e Eu nunca, nunca te abandonarei!" A versão da Bíblia em língua inglesa *Amplified Bible* transmite a força do que Deus realmente quis dizer:

> *De modo algum falharei com você nem desistirei de você, nem te deixarei sem apoio. Não o farei, não o farei, de modo algum o deixarei desprotegido nem o abandonarei, nem o deixarei caído (não relaxarei a Minha mão que o segura)! [É certo que não!]*
> — Hebreus 13:5, AMP

Uau! Foi isso que Jesus fez por nós! Ele nos deu a presença constante de Deus! Meu amigo, ponha isso em seu coração de uma vez por todas — Deus **nunca** o deixará! Deus **nunca** o abandonará! E se ouvir alguém lhe dizer que você pode perder a presença de Deus, pare de ouvi-lo. Não deixe que essa pessoa roube de você a certeza da presença de Deus em sua vida. Quando Deus diz "nunca jamais", Ele quer dizer "nunca jamais", e o nosso Deus não pode mentir! Isso significa que Jesus, a Sua prosperidade, paz, provisão e sabedoria, está sempre com você. Você não pode deixar de prosperar!

Oração de Hoje

Pai, eu estou muito feliz porque tenho a Tua presença constante e incessante em minha vida por causa da troca divina feita no Calvário. Quer esteja eu bem ou mal, feliz ou triste, tendo agido certo ou errado, Tu estás comigo. A Tua ajuda, proteção, provisão, força e paz estão ao meu lado. Não tenho nada nem ninguém a quem temer. Obrigado!

Pensamento de Hoje

Deus nunca, jamais, de modo algum, de forma alguma me deixará desprotegido nem me abandonará!

Reflexão de Hoje Sobre o Favor

_____
_____
_____
_____
_____
_____
_____
_____
_____
_____
_____
_____
_____
_____

DIA 24

Traga Jesus para o Seu Cenário

Versículo de Hoje

Então, Moisés clamou ao SENHOR, e o SENHOR lhe mostrou uma árvore; lançou-a Moisés nas águas, e as águas se tornaram doces.
— Êxodo 15:25

Quando você estudar a Bíblia sabendo que o Senhor está com você, ficará impressionado ao ver como a Palavra de Deus se torna viva. É assim que eu leio a Palavra. Eu não a estudo apenas para me preparar para as mensagens que vou pregar aos domingos. Vou à Palavra para beber das águas vivas de Jesus. Estou consciente de que Jesus está ao meu lado, ensinando-me, falando ao meu coração, e posso lhe dizer que temos as melhores conversas durante esses momentos e sempre saio desses encontros me sentindo renovado e cheio de energia.

Jesus torna tudo belo em sua vida.

Ler a Sua Palavra se tornou um tempo maravilhoso de intimidade entre mim e Jesus. Fico completamente envolvido e absorto na Sua presença até perder a noção do tempo. Não sei dizer quantas vezes olhei para o relógio depois de me aprofundar na Sua Palavra e percebi que já eram cinco da manhã! Sabe como é, quando você está desfrutando um café expresso fumegante em uma cafeteria com amigos a quem você ama, e está se divertindo tanto, rindo e compartilhando, que o tempo parece desaparecer? Bem, você pode desfrutar a presença de Jesus da mesma maneira!

Ao ter consciência de que Jesus está com você, ler a Bíblia já não parece mais uma tarefa ou obrigação. Você não vai se surpreender olhando para o relógio batendo tick... tick... tick... tick... e se sentindo como se uma eternidade tivesse passado e, no entanto, foram apenas cinco minutos! É assim que nos sentimos quando estamos realizando uma tarefa — como se o tempo tivesse parado e mal pudéssemos esperar para acabar com aquilo. O estudo da Bíblia separado da Sua presença é uma obra morta. Mas quando é como estar com o seu melhor amigo, parece que não há tempo suficiente!

Portanto, veja o Senhor em meio a tudo que você fizer e aprenda a colocá-lo dentro do seu cenário. Ele torna tudo belo na sua vida. Quando você olha para o seu passado, as cicatrizes de ontem podem ainda estar pulsando em suas lembranças. Talvez você tenha sofrido abuso quando criança ou tenha sido ferido emocionalmente por alguém em quem confiava. Ao olhar para trás agora, talvez você ainda se sinta zangado, frustrado e decepcionado ao mesmo tempo, e a dor ainda transpasse o seu coração. Mas em meio à sua dor, quero desafiá-lo a começar a envolver Jesus nela. Veja o Senhor segurando-o, curando suavemente as suas feridas. Jesus está bem ali restaurando você, colocando coragem no seu coração e retirando todo sentimento de vergonha e culpa.

Amado, Ele quer que você saiba que o seu passado não vai determinar o futuro que Ele tem para você. Quando você envolver o Senhor e colocá-lo em suas águas amargas, Ele transformará a amargura em doçura. Foi isso que o Senhor fez pelos filhos de Israel. Quando eles chegaram a um lugar chamado Mara, não podiam beber as suas águas porque eram amargas. Moisés clamou ao Senhor e Ele mostrou-lhe uma árvore, que Moisés lançou dentro das águas. Quando ele fez isso, a Bíblia diz que "as águas se tornaram doces".

Por que as águas de gosto repugnante, intragáveis, tornaram-se doces e refrescantes? A resposta está na árvore que foi lançada dentro delas. A árvore é uma imagem da cruz onde o nosso Senhor Jesus foi pendurado, levando cada coração partido e cada aguilhão de traição. Quando você coloca Jesus na sua situação, Ele pode fazer com que cada experiência amarga se torne doce! Fale com Ele e permita que a Sua presença o cure hoje!

Oração de Hoje

Senhor Jesus, eu Te convido a me curar de toda experiência amarga que tive. Obrigado por levar cada ferida e cada aguilhão de traição na cruz por mim. Eu peço que Tu faças uma obra profunda em mim para retirar o sofrimento e a dor que sinto sempre que me lembro dessas experiências amargas. Por favor, substitui cada emoção negativa em meu coração pelo Teu amor, Tua paz e Tua alegria.

Pensamento de Hoje

Meu coração pode ter sido partido de forma lastimável, mas Jesus está me segurando neste instante, curando minhas feridas, restaurando-me e colocando coragem, paz e alegria em meu coração.

Reflexão de Hoje Sobre o Favor

DIA 25

Esteja Consciente da Presença de Jesus e Tenha o Seu "Cheiro"

Versículo de Hoje

Então, respondeu um dos moços e disse: "Conheço um filho de Jessé, o belemita, que sabe tocar e é forte e valente, homem de guerra, sisudo em palavras e de boa aparência; e o Senhor é com ele." — 1 Samuel 16:18

Davi é um exemplo maravilhoso de alguém que falava com o Senhor e praticava estar consciente da Sua presença o tempo todo. Mesmo quando era um jovem adolescente que cuidava das ovelhas de seu pai nos campos, ele cantava salmos e hinos ao Senhor e tocava a sua harpa.

Você não pode estar na presença do Senhor sem que a Sua glória, majestade, beleza, poder, amor e a Sua paz lhe contagiem.

Em 1 Samuel 16, a Bíblia relata que o Rei Saul estava muito inquieto, e os seus servos lhe disseram que ele estava sendo atormentado por um espírito maligno. Então eles lhe aconselharam que trouxessem Davi perante o rei para tocar a harpa para ele, dizendo que os espíritos malignos saíam quando Davi tocava a harpa. Um dos servos fez uma descrição brilhante de Davi como alguém "que sabe tocar e é forte e valente, homem de guerra, sisudo em palavras e de boa aparência; e o Senhor é com ele". Você sabe por que Davi podia fazer com que Saul se sentisse aliviado apenas tocando a sua harpa? Você sabe por que Davi podia receber esses elogios à sua pessoa? Creio que a chave está na última parte do versículo: "... o Senhor é com ele."

Alguns anos depois que Wendy e eu nos casamos, houve um incidente que jamais esquecerei. Eu estava a caminho de casa um dia e entrei em um elevador lotado. Depois de mim um grupo de senhoras se espremeu dentro do mesmo elevador quando ele parou no andar seguinte e, oh céus, aqueles perfumes usados por elas eram insuportáveis!

De qualquer forma, quase tonto e prestes a sufocar, cheguei em casa e beijei Wendy com o meu costumeiro: "Olá querida, estou de volta." Ela olhou para mim e disse: "Isto é perfume de mulher. Conheço esse perfume." Eu lhe disse: "Ouça, querida, ouça... de verdade, o que acaba de acontecer..." É por isso que é tão importante haver confiança no seu casamento!

Estou certo de que você já passou por algo semelhante antes. Você já entrou em uma sala cheia de fumaça de cigarro? Talvez não fume, mas o seu cabelo e as suas roupas estarão cheirando a fumaça mesmo depois de sair da sala. Da mesma forma, você não pode estar na presença do Senhor sem que Sua glória, majestade, beleza, poder, amor e a Sua paz contagiem você. Você começa a "cheirar" como Jesus, a ser poderoso como Ele e a ser cheio de paz como Ele! Não é de admirar que Atos 4:13 relate isso sobre Pedro e João: "Ao verem a intrepidez de Pedro e João, sabendo que eram homens iletrados e incultos, admiraram-se; e reconheceram que **haviam eles estado com Jesus**." Amado, decida priorizar a presença do Senhor onde quer que você esteja. Você experimentará a evidência inegável da Sua presença em sua vida.

Oração de Hoje

Senhor Jesus, que se diga de mim que eu sou uma pessoa capaz, sábia e corajosa, não porque eu mereça estes elogios, mas por causa da Tua presença constante comigo. Todos os dias, que a Tua glória, majestade, beleza, poder, amor e a Tua paz se apeguem cada vez mais a mim.

Pensamento de Hoje

Tornar-se mais semelhante a Jesus não é questão de força de vontade, mas o resultado de passar tempo na Sua presença.

Reflexão de Hoje Sobre o Favor

DIA 26

O Evangelho Traz Saúde e Provisão

Versículo de Hoje

Ora, se vós, que sois maus, sabeis dar boas dádivas aos vossos filhos, quanto mais vosso Pai, que está nos céus, dará boas coisas aos que lhe pedirem? — Mateus 7:11

Fui acusado de ser um daqueles pregadores do "evangelho da prosperidade" que só falam em saúde e riquezas. Na verdade, não existe um "evangelho da prosperidade". Existe apenas um evangelho e este é o evangelho de Jesus Cristo. Por meio da obra consumada de Jesus na cruz, você pode depender dele para que a Sua vida ressurreta pulse e flua no seu corpo físico desde o topo da sua cabeça até a sola de seus pés. Enfermidades e doenças não provêm de Deus. Na cruz, Jesus levou não apenas os nossos pecados, mas também as nossas enfermidades, doenças e males e "pelas Suas pisaduras fomos sarados" (Isaías 53:5)!

Da mesma maneira que você quer que seus filhos sempre tenham mais do que o suficiente, Deus quer que você desfrute Sua provisão sobrenatural.

Isto não é tudo, meu amigo. Na cruz, Jesus levou a maldição da pobreza! É isto que a Palavra de Deus declara: "Pois conheceis a graça de nosso Senhor Jesus Cristo, que, sendo rico, se fez pobre por amor de vós, para que, pela sua pobreza, vos tornásseis ricos" (2 Coríntios 8:9). Leia 2 Coríntios 8. O capítulo inteiro fala sobre dinheiro e sobre ser uma bênção financeiramente para aqueles que estão passando necessidades. Portanto, não deixe que ninguém lhe diga que o versículo está se referindo a riquezas "espirituais". Deixe-me dizer-lhe isto: é o diabo quem quer você doente e pobre, mas o Deus a quem conheço pagou um alto preço para redimi-lo da maldição da doença e da pobreza!

Vamos entender como Deus trata conosco do ponto de vista do **relacionamento**. Como pai (ou mãe) como você ensinaria a seu filho caráter e paciência? Usaria doenças e enfermidades para lhe ensinar essas lições? É claro que não! Existem instituições onde colocamos esta espécie de pais! Mais uma vez, como pai (ou mãe), como você ensinaria humildade a seu filho? Amaldiçoando-o com pobreza pelo resto de sua vida? De modo algum! Agora, não é impressionante como tudo se torna perfeitamente claro quando começamos a pensar do ponto de vista de um pai ou de uma mãe, e colocamos nossos próprios filhos na situação?

Quando você começar a pensar em termos de relacionamento, tudo convergirá nessa direção e você começará a ver as coisas do ponto de vista de Deus. Ele é o nosso Pai que age na esfera dos relacionamentos, e através do Seu favor imerecido em nossas vidas, aprendemos a respeito de caráter, paciência e humildade enquanto descansamos do nosso esforço próprio e dependemos dele. Quanto mais conhecemos o nosso Pai, mais nos tornamos como Ele. É assim que Deus faz com que cresçamos de glória em glória em todas as áreas das nossas vidas. É simplesmente contemplando-o (2 Coríntios 3:18)!

Você sabe que, como pais, sempre buscamos as melhores coisas para nossos filhos. Quanto mais não iria o nosso Pai no céu querer as melhores coisas para nós, Seus preciosos filhos? Da mesma maneira que você quer seus filhos saudáveis, Deus quer que você desfrute da Sua saúde divina. E da mesma maneira que você quer ver seus filhos sempre tendo mais do que o suficiente, Deus quer que você desfrute a Sua provisão sobrenatural. Quando Ele suprir, prepare-se para uma carga capaz de romper as redes e afundar o barco (João 6:13)! A Bíblia nos dá uma perspectiva mais clara dessa verdade em Mateus 7:11: "Se vocês, então, que são pais imperfeitos, sabeis dar boas dádivas aos vossos filhos, quanto mais vosso Pai, que está nos céus, dará boas coisas aos que lhe pedirem?"

Meu amigo, você precisa entender bem isto: Deus odeia a doença e detesta a pobreza. Ele deu tudo o que tinha para aniquilar a doença e a pobreza, quando nos deu o Seu único Filho, Jesus Cristo, para morrer na cruz por nós. Ele colocou todo o pecado da humanidade, assim como a maldição da doença e da pobreza, sobre o corpo de Jesus. Tudo que você precisa fazer agora é responder à obra consumada de Jesus — os seus pecados já foram perdoados. O seu corpo físico será curado e a sua pobreza realmente passará a ser passado!

Oração de Hoje

Pai, eu Te agradeço porque Jesus levou a minha enfermidade e pobreza na cruz. Eu Te agradeço porque Ele fez tudo que precisava ser feito para que eu desfrutasse de saúde e prosperidade divinas! Eu Te peço que cuides de cada uma das minhas necessidades e recebo a Tua cura e a Tua provisão sobrenaturais para mim e para os meus entes queridos hoje.

Pensamento de Hoje

Se os pais terrenos que são imperfeitos não querem que seus filhos sejam doentes e pobres, quanto mais o meu Pai celestial que me ama perfeitamente!

Reflexão de Hoje Sobre o Favor

_____
_____
_____
_____
_____
_____
_____
_____

DIA 27

Conheça o Seu General

Versículo de Hoje

Levanta-se Deus; dispersam-se os seus inimigos... — Salmos 68:1

É interessante ouvir como alguns cristãos falam. Você pode ouvi-los falar sobre o que o diabo lhes fez, como ficaram realmente furiosos com o diabo e como passaram a noite inteira repreendendo o inimigo. Esses cristãos também podem andar por aí dizendo às pessoas o que o diabo tem lhes dito, mas você não as ouve realmente falar sobre o que **o Senhor** tem lhes dito. Sabe de uma coisa? Elas estão sintonizadas no canal errado!

A melhor guerra espiritual a ser travada é a de engrandecer o Senhor Jesus em sua vida.

Em vez de engrandecer Jesus e a Sua presença e estar conscientes dele, estão engrandecendo o diabo e se tornando mais conscientes da presença de Satanás do que da presença de Jesus. Isso é realmente triste! Estão sempre falando sobre guerra espiritual e sobre o diabo. Você sabia que a melhor guerra espiritual a ser travada é a de engrandecer o Senhor Jesus em sua vida? A Bíblia declara: "Levanta-se Deus, dispersam-se os Seus inimigos..." Amém!

Recentemente, tive uma conversa com uma médica sobre guerra espiritual. Ela me disse: "Quando há uma doença no seu corpo, você precisa saber qual é o nome correto dela para poder orar contra ela com precisão." Então ela me disse algo, com certo convencimento: "Como alguém que esteve no exército, você deveria saber disso: a estratégia militar mais importante é conhecer o seu inimigo".

Sorri para ela e disse: "Na verdade, creio que a estratégia militar mais importante não é conhecer o seu inimigo, mas conhecer o seu general e as instruções dele para você."

Meu amigo, você conhece o seu general, Jesus Cristo? Você sabe com plena certeza que a Sua presença e o Seu favor imerecido estão com você? Comece a praticar a consciência da presença de Jesus em sua vida hoje, e veja que diferença Ele fará na sua situação!

Oração de Hoje

Senhor Jesus, quero andar mais perto de Ti. Quero conhecer-Te mais intimamente e estar consciente da Tua presença e do Teu favor imerecido em minha vida. Ajuda-me a entender os Teus planos e os Teus propósitos para mim para que eu possa ser sábio na maneira de passar os meus dias.

Pensamento de Hoje
Serei consciente de Jesus, e não consciente do diabo.

Reflexão de Hoje Sobre o Favor

DIA 28

Reconheça a Presença de Jesus Dando Graças

Versículo de Hoje

Em tudo, dai graças, porque esta é a vontade de Deus em Cristo Jesus para convosco. — *1 Tessalonicenses 5:18*

Há cristãos que sabem teoricamente que Jesus está com eles, mas não praticam ativamente a consciência da Sua presença. Para mim, pessoalmente, uma das melhores maneiras de praticar estar consciente da presença do Senhor é agradecendo a Ele em todo o tempo. Você pode lhe dar graças por tudo. Diga simplesmente: "Senhor, eu Te agradeço por este lindo pôr do sol. Obrigado pelo Teu amor e por me cercar de boas coisas e de bons amigos."

Aquilo pelo qual você é grato aumenta em valor aos seus olhos.

Não há limites para o que você pode lhe agradecer uma vez que todo dom perfeito e bem que desfrutamos hoje vem diretamente dele (Tiago 1:17). Ainda que você tenha tido um dia difícil no trabalho e esteja enfrentando um desafio aparentemente impossível, você pode praticar estar ciente da Sua presença. No instante em que você perceber que o seu coração está ficando pesado pela preocupação e a sua mente está sendo atormentada pela ansiedade, compartilhe o seu desafio com Jesus e agradeça a Ele por o problema não ser maior do que as Suas mãos. Comece a entregá-lo a Ele e dependa dele para lhe dar força, poder e paz.

Ao fazer isso, você já está praticando a consciência da presença do Senhor. E ao honrar a Sua presença e ao se comportar como quem acredita que Ele realmente está com você, Ele vê isso como prova da sua fé nele.

Assim Ele intervém em seu favor para seu êxito em qualquer situação em que você esteja.

É triste quando os cristãos se comportam como alguns maridos que levam suas esposas a uma festa, apenas para ignorá-las completamente. Suas esposas podem estar ali fisicamente, mas esses sujeitos estão tão envolvidos com seus amigos, conversando sobre a bolsa de valores, a economia ou sobre o último jogo de futebol, que suas esposas poderiam muito bem não estar com eles.

Senhoras, vocês conhecem homens assim? Agora, vocês, homens que estão lendo este livro, sei que não são assim, portanto, não se ofendam, está bem? Sei que vocês amam e valorizam suas esposas. O que estou tentando ilustrar é o fato de só por alguém estar com você fisicamente, isso não significa que a pessoa se sente apreciada por você. A apreciação só ocorre quando você começa a reconhecer a presença dessa pessoa.

O que gosto de fazer é olhar para Wendy do outro lado de uma sala cheia de pessoas, e quando nossos olhares se cruzam do outro lado da sala, deixar claro que é como se o restante das pessoas desaparecesse instantaneamente e apenas ela permanecesse. Quero que ela saiba que aprecio o fato de ir comigo àquele jantar ou reunião. Não estou afirmando que eu seja sensível à Wendy o tempo todo, mas há momentos em que quero fazê-la se sentir especial e deixo isso bem claro. Ela é especial para mim, mas realmente valorizá-la e fazer com que se sinta especial são coisas completamente diferentes. Como todos os maridos, eu ainda estou crescendo neste aspecto.

Agora, o que significa a palavra "apreciar"? Significa "aumentar de valor". Se você aprecia alguém, essa pessoa aumenta de valor aos seus olhos. Meu amigo, o Senhor já está com você, portanto comece a praticar a consciência da Sua presença. Comece agradecendo a Ele, apreciando-o e aumentando o Seu valor aos seus olhos, e você o verá agindo em seu favor.

Oração de Hoje

Senhor Jesus, reconheço a Tua presença e Te dou graças pelas muitas bênçãos que Tu tens derramado sobre mim. Obrigado por me cercarem com coisas boas e com bons amigos. Obrigado pelo pôr do sol estonteante e pelos pássaros que cantaram lindamente esta manhã.

Obrigado principalmente por sempre estar comigo em cada situação e por ser a minha sabedoria, força e sucesso.

Pensamento de Hoje

Darei graças ao Senhor. É assim que posso reconhecer Sua presença e apreciá-lo.

Reflexão de Hoje Sobre o Favor

DIA 29

A Definição Correta de Justiça

Versículo de Hoje

Não anulo a graça de Deus; pois, se a justiça é mediante a lei, segue-se que morreu Cristo em vão. — *Gálatas 2:21*

O que o entendimento correto da sua justiça tem a ver com esperar que algo bom aconteça com você hoje? Tudo!

Muitos crentes associam a justiça a uma lista de coisas que precisam fazer, e se conseguirem concluir esta lista, eles se sentem "justos". Ao contrário, quando falham no seu comportamento, eles se sentem "injustos". Mas essa é a definição e a compreensão errada de justiça.

Nós nos tornamos justos por causa do que Jesus fez por nós na cruz.

Vamos voltar ao que a Bíblia tem a dizer. Veja 2 Coríntios 5:21: "Aquele que não conheceu pecado, ele o fez pecado por nós; para que, nele, fôssemos feitos justiça de Deus." Não somos justos porque agimos bem. Nós nos **tornamos** justos por causa do que **Jesus** fez por nós na cruz. A "justiça", portanto, não se baseia nas **nossas** boas ações. Ela se baseia inteiramente na boa ação de **Jesus**. O Cristianismo não tem a ver com agir bem para se tornar justo. Tem a ver com **crer precisamente** em Jesus para se tornar justo.

Você percebe que fomos condicionados a associar ser abençoados a agir corretamente? A maioria dos sistemas de crenças baseia-se em um sistema de mérito pelo qual você precisa cumprir certos requisitos — dar aos pobres, fazer o bem a outros e cuidar dos menos privilegiados — para atingir um determinado estado de justiça. Tudo isso parece muito nobre, um ato de abnegação e realmente exerce certo apelo à nossa carne, pois ela gosta de sentir que as nossas boas obras conquistaram a nossa justiça.

Mas Deus não está olhando para a sua nobreza, para os seus sacrifícios ou para as suas boas obras para justificá-lo. Ele só está interessado na humildade de Jesus na cruz. Ele olha para o perfeito sacrifício do Seu Filho no Calvário para justificar você e para torná-lo justo! Tentar ser justificado por suas boas obras e tentar dar o melhor de si para guardar os Dez Mandamentos para se tornar justo é negar a cruz de Jesus Cristo. É como dizer: "A cruz não basta para me justificar. Preciso depender das minhas boas obras para me purificar e para me tornar justo diante de Deus."

O apóstolo Paulo disse: "Não torno inútil a graça de Deus; porquanto, se a justiça pudesse ser estabelecida pela lei, então Cristo teria morrido em vão!" Meu amigo, considere com atenção o que Paulo está dizendo aqui. Ele está efetivamente dizendo que se você depende das **suas** boas obras, dos **seus** atos e da **sua** capacidade para guardar perfeitamente os Dez Mandamentos para se tornar justo, então Jesus morreu por nada! É isso que **"em vão"** significa — por **nada**! Portanto, não torne inútil a graça de Deus dependendo das suas boas obras para se tornar justo e colocar Deus do seu lado. O sacrifício de Jesus é mais do que suficiente para justificá-lo! E quando você sabe que é justificado, você pode ter a confiança de que o favor imerecido de Deus está do seu lado e esperar que coisas boas aconteçam com você hoje!

Oração de Hoje

Pai, eu Te agradeço porque o fato de eu ser justo não se baseia no que fiz ou não fiz, mas no que Jesus fez na cruz. Abandono as minhas obras para ser justo e simplesmente descanso na obra consumada de Jesus. Ajuda-me a estar firmado na revelação de que só o sacrifício de Jesus me capacita a ter o Teu favor imerecido do meu lado hoje.

Pensamento de Hoje

O fato de eu ser justo não se baseia nas minhas boas ações. Baseia-se inteiramente na boa ação de Jesus.

Reflexão de Hoje Sobre o Favor

DIA 30

A Justiça é Gratuita para Você Mas Ela Teve um Alto Preço para Deus

❖

Versículo de Hoje

Mas ele foi traspassado pelas nossas transgressões e moído pelas nossas iniquidades; o castigo que nos traz a paz estava sobre ele, e pelas suas pisaduras fomos sarados. — Isaías 53:5

Se você não assistiu ao filme *A Paixão de Cristo*, dirigido por Mel Gibson, eu o encorajo a vê-lo e analisar tudo que Jesus fez por você no Seu caminho até a cruz. Observe a angústia que Ele suportou no Jardim do Getsêmani, onde orou preparando-se para a prova que Ele sabia que estava por vir.

A nossa justiça é resultado da obra de Jesus e só podemos receber a Sua justiça através do Seu favor imerecido.

Veja como o seu Rei foi levado por soldados romanos brutais, que zombaram dele e enterraram uma coroa grosseira feita de espinhos em Sua cabeça. Veja como o seu Salvador sofreu golpe após golpe de chicotes projetados para infligir o máximo de dor — chicotes trançados com vidro partido e ganchos, para que cada golpe arrancasse carne de Suas costas já dilaceradas.

Em uma cena, Jesus cai devido aos golpes, e ao vê-la gritei em meu coração, desejando que Ele ficasse caído para que os Seus atormentadores aplacassem o ataque cruel. Mas Ele não ficou caído. Tendo você e eu em mente, Ele se agarrou ao poste de espancamento e se arrastou até se levantar para receber toda a medida do Seu flagelo, sabendo que é pelas Suas pisaduras que somos sarados.

A Sua agonia não terminou quando os soldados implacáveis se cansaram de espancá-lo. Aqueles homens colocaram uma cruz pesada sobre as Suas costas completamente ensanguentadas, obrigando-o a carregar as tábuas bifurcadas até o Gólgota. Depois de mal sobreviver a um tratamento tão cruel, não era de admirar que Jesus tenha caído sob o peso da cruz depois de vacilar em parte do caminho, e os soldados precisaram obrigar um transeunte a ajudá-lo a levar a cruz. Então o nosso Senhor foi esticado sobre ela, e pregos longos e imensos foram pregados cruelmente em Suas mãos e pés.

Jesus suportou tudo isto por nada? Será que tudo aquilo foi em vão?

É exatamente isso que os cristãos que insistem em tentar conquistar a sua própria justiça por meio da lei estão dizendo.

Deixe-me citar Paulo para que você possa ver por si mesmo o que quero dizer:

> *Não anulo a graça de Deus; pois, se a justiça vem pela Lei, Cristo morreu inutilmente!* — Gálatas 2:21, NVI

Meu amigo, não torne inútil a graça (favor imerecido) de Deus em sua vida confiando em si mesmo e tentando com os seus próprios esforços tornar-se justo diante de Deus. Não podemos merecer o favor e a aceitação de Deus. Só podemos receber a justiça como um dom gratuito de Deus. A Sua justiça é gratuita para nós, mas ela teve um alto preço para Ele, pois pagou por ela com o sangue do Seu Filho unigênito, Jesus Cristo. Este é um presente que só pode ser dado gratuitamente, não porque ele seja barato, mas realmente, porque ele não tem preço!

"Mas Pastor Prince, como posso eu, que não fiz nada de bom, me tornar justo?"

Bem, primeiro, responda-me o seguinte: Como Jesus, alguém que não conhecia pecado, pôde se tornar pecado na cruz por nós?

Como você pode ver Jesus não tinha pecados próprios, mas Ele tomou sobre Si todos os pecados da humanidade. Por outro lado, você e eu não tínhamos justiça própria, mas, naquela cruz, Jesus levou sobre Si todos os nossos pecados, todo o nosso passado, todo o nosso presente e futuro, e em troca, Ele nos deu a Sua justiça perfeita e eterna. Agora, essa justiça que recebemos foi resultado das nossas próprias obras ou da **Sua** obra? Está claro que a nossa justiça é um resultado da obra de Jesus e que só podemos recebê-la por meio do Seu favor imerecido!

Deixe-me lhe dar a definição mais clara de graça (favor imerecido) da Bíblia:

E, se é pela graça, já não é pelas obras; do contrário, a graça já não é graça.
— *Romanos 11:6*

Você está me acompanhando? Não há um caminho intermediário. Ou você é justo pelo favor imerecido de Deus, ou você está tentando merecer a justiça com as suas próprias obras. Ou você está dependendo de Jesus ou está dependendo de si mesmo. Porque Jesus pagou um preço tão alto para que você tenha a Sua justiça, você pode abandonar seus esforços próprios para ser justo aos olhos de Deus a fim de merecer o Seu favor. Veja a si mesmo como a justiça de Deus em Cristo e espere que as bênçãos dos justos se manifestem na sua vida!

Oração de Hoje

Pai, ajuda-me a confiar sempre em Jesus, que sofreu muito e morreu por mim, para que eu pudesse ter a Sua justiça como um dom gratuito. Espero plenamente que todas as bênçãos da justiça inundem a minha vida hoje.

Pensamento de Hoje

Estou dependendo de Jesus ou estou dependendo de mim mesmo e das minhas obras para ser justo diante de Deus?

Reflexão de Hoje Sobre o Favor

_____

_____

_____

_____

DIA 31

Deus Nunca Ficará Irado com Você

Versículo de Hoje

Porque isto é para mim como as águas de Noé; pois jurei que as águas de Noé não mais inundariam a terra, e assim jurei que não mais me iraria contra ti, nem te repreenderia. Porque os montes se retirarão, e os outeiros serão removidos; mas a minha misericórdia não se apartará de ti, e a aliança da minha paz não será removida, diz o Senhor, que se compadece de ti. — Isaías 54:9-10

Uma advertência é dada em 1 Pedro 5:8 — "Sede sóbrios e vigilantes. O diabo, vosso adversário, anda em derredor, **como leão que ruge** procurando alguém para devorar". Sei que um leão ruge para intimidar e para dar medo, mas eu muitas vezes me perguntava que tipo de medo o diabo tenta incutir no crente. Precisamos **deixar que a Bíblia interprete a Bíblia**. Não podemos fundamentar nossas interpretações em nossas tradições denominacionais ou nas nossas experiências.

> **Deus nunca ficará irado conosco novamente em função do que Cristo fez por nós!**

Um dia, eu estava lendo Provérbios 19, quando me deparei com o versículo 12: "A ira do rei é como **o rugido do leão**, mas a sua bondade é como o orvalho sobre a relva." Quem é o rei a quem este versículo se refere? É o nosso Senhor Jesus! Então, quando o diabo anda rugindo como um leão, ele está tentando fazer o papel do Rei. Ele está tentando fazer com que você se sinta como se Deus estivesse irado com você. Todas as vezes que você ouvir pregações e elas o deixarem com a sensação de que Deus está irado com você, sabe de uma coisa? Você acaba de ouvir um rugido! Mas saiba disto, amado: Deus NUNCA mais ficará irado com você. Ele só precisava nos dizer isso, mas Ele quis que tivéssemos tanta certeza que **jurou** na Sua Palavra nunca, jamais, irar-se conosco novamente.

Os versículos de hoje encontram-se em Isaías 54, que vem logo após o famoso capítulo messiânico acerca dos sofrimentos de Cristo em Isaías 53. Portanto, Isaías 54 está explicando os triunfos e despojos dos Seus sofrimentos.

Você sabe por que Deus nunca mais ficará irado conosco novamente? Por causa do que Cristo fez por nós! Na cruz, Deus derramou toda a Sua ira sobre o corpo de Seu Filho. Jesus esgotou toda a indignação ardente de um Deus santo contra todos os nossos pecados, e quando todo o juízo de Deus pelos nossos pecados havia sido completamente esgotado, Ele exclamou: "Está consumado!" (João 19:30). E porque os nossos pecados já foram punidos, Deus, que é um Deus santo e justo, não nos punirá hoje quando cremos no que Cristo fez. A santidade de Deus agora está ao seu alcance. A Sua justiça agora é por você, e não contra você. Você é o Seu amado, em quem Ele tem prazer por causa da obra consumada de Jesus!

Da próxima vez, quando o diabo tentar roubar de você a sua sensação de ser amado, fazendo-o pensar que Deus está irado com você, simplesmente ignore-o. Ignore-o quando ele diz: "Como você pode se chamar de cristão?" Você é um filho de Deus justo, aceito e amado! Quando crer nisso, você terá a confiança para enfrentar todos os desafios com ousadia, sabendo que você tem o favor imerecido de Deus do seu lado!

Oração de Hoje

Pai, eu Te agradeço pela Tua Palavra que me diz que Tu nunca ficarás irado comigo novamente. Por Jesus ter levado o julgamento de todos os meus pecados em Seu próprio corpo na cruz, apresento-me justo diante de Ti, totalmente aceito, favorecido e amado por Ti. Sou revestido de poder pelo Teu perfeito amor para reinar sobre as minhas circunstâncias hoje!

Pensamento de Hoje
Por causa do que Jesus fez na cruz por mim, a justiça de Deus é por mim, e não contra mim!

Reflexão de Hoje Sobre o Favor

DIA 32

Qual é a Sua Reação à Voz da Acusação?

Versículo de Hoje

Em retidão você será estabelecida: A tirania estará distante; você não terá nada a temer. O pavor estará removido para longe; ele não se aproximará de você.

— *Isaías 54:14*

É importante que você seja estabelecido na justiça de Cristo, porque isso determinará como você irá reagir à voz da acusação quando estiver crendo em Deus para coisas grandes, e confiando nele para ter suas orações atendidas.

Crer corretamente sempre nos leva a viver corretamente.

"Quem você pensa que é?"
"Você não se lembra de como gritou com sua esposa esta manhã? Por que Deus iria lhe favorecer em sua apresentação tão importante no escritório hoje?"
"Veja como você perde a calma com facilidade quando está dirigindo. Como você pode ter a ousadia de esperar que coisas boas aconteçam com você?"
"Você se diz um cristão? Quando foi a última vez que leu sua Bíblia? O que você fez para Deus? Por que Deus iria curar seu filho?"

Acusações desse tipo lhe parecem tremendamente familiares? Agora, a maneira como você reage a essa voz da acusação demonstrará aquilo em que você realmente crê. Esta é a prova de fogo do que você acredita. É aqui que as coisas se estreitam! Alguém poderia pensar: *É, você está certo. Eu não mereço. Como posso esperar o favor de Deus em minha apresentação no escritório quando fui tão duro com minha esposa esta manhã?* Ora, esta é a reação de alguém que acredita que precisa conquistar sua própria justiça e o seu lugar de aceitação diante de Deus. Esse indivíduo acredita que pode esperar o bem de

Deus somente quando sua conduta for boa e sua própria lista de requisitos autoimpostos for cumprida completamente.

Ele provavelmente entraria no escritório como um furacão, ainda fervendo de raiva com sua esposa. E o que é pior, ele se sente cortado da presença de Jesus por causa da sua raiva e acha que não está qualificado para pedir o favor de Deus para a sua apresentação. Ele entra na sala da Diretoria desgrenhado e desorganizado. Esquece-se dos pontos principais e remexe nos papéis, fazendo com que a empresa perca aquela conta importante. Seus patrões ficam decepcionados com ele e o repreendem severamente. Frustrado e envergonhado, ele dirige para casa como um louco, tocando a buzina para cada carro que não se move no instante em que os sinais de trânsito ficam verdes. Ao chegar em casa, está ainda mais irritado com sua esposa, porque ele a culpa por deixá-lo de péssimo humor de manhã, pela péssima apresentação e pela perda da conta mais importante! É tudo culpa DELA!

Agora, veja a diferença se essa pessoa pensa: *Sim, você está certo. Eu não mereço ter o favor de Deus em absoluto, porque perdi a calma com minha esposa esta manhã. Mas sabe de uma coisa? Não estou olhando para o que mereço. Estou olhando para o que Jesus merece. Neste mesmo instante, Jesus, eu Te agradeço porque Tu me vês perfeitamente justo. Por causa da cruz e do Teu sacrifício perfeito, posso esperar o favor imerecido de Deus na minha apresentação. Cada uma das minhas faltas, até mesmo o tom de voz que usei nesta manhã, estão cobertas pela Tua justiça. Posso esperar o bem não porque sou bom, mas porque Tu és bom! Amém!*

Você está vendo que diferença impressionante? Esta pessoa está firmada na justiça de Jesus e não nas suas próprias boas ações ou no seu bom comportamento. Ela vai trabalhar dependendo do favor imerecido de Jesus, e se sai extremamente bem na apresentação e garante uma conta importante para a sua empresa. Seus patrões ficam impressionados com o seu desempenho e anotam seu nome para a próxima série de promoções. Ela volta para casa em paz e alegre, sentindo o amor e o favor do Pai. Consequentemente, ela é mais paciente com os outros motoristas.

Agora, isso significa que o indivíduo varre todas as suas faltas para debaixo do tapete e finge que elas nunca aconteceram? De jeito nenhum! Este homem, cheio da consciência de que o Senhor está com ele, encontrará força em Cristo para pedir perdão à sua esposa pelo tom com que falou com ela. Como você pode ver, um coração que foi tocado pelo favor imerecido não pode se agarrar à falta de perdão, à ira e à amargura. Qual dos relatos acima demonstra verdadeira santidade? É claro que o segundo. Depender do favor de Deus resulta em uma vida de santidade prática. Crer corretamente sempre nos leva a viver corretamente!

Oração de Hoje

Pai, estabelece-me na justiça de Cristo, para que eu possa reagir com graça quando as coisas ficarem feias. Mesmo quando sei que falhei, decido me ver como Tu me vês — na justiça de Jesus, e espero que o Teu favor imerecido trabalhe por mim apesar das minhas falhas. Obrigado pelo dom da justiça que faz com que eu reine sobre tudo em minha vida.

Pensamento de Hoje
Depender do favor de Deus e experimentá-lo leva à santidade prática.

Reflexão de Hoje Sobre o Favor

___
___
___
___
___
___
___
___
___
___
___

DIA 33

Graça Quando Você Menos Merece

Versículo de Hoje

... não tendo a minha própria justiça que procede da Lei, mas a que vem mediante a fé em Cristo, a justiça que procede de Deus e se baseia na fé. — Filipenses 3:9

A graça de Deus é o favor de Deus, inconquistável e imerecido. Quando Ele o atende no momento em que você menos merece, **isso** é graça. **Isso** é o Seu favor tremendo, imerecido! No seu momento mais baixo, na sua hora mais escura, a Sua luz brilha para você e você se torna um receptáculo do Seu favor imerecido, e um receptáculo de favor não pode evitar querer estender graça a outros.

> **Quanto mais você for consciente da justiça, mais experimentará o favor imerecido de Deus.**

Meu amigo, em nós mesmos não merecemos nada de bom. Mas porque estamos em Cristo e na Sua justiça, Deus não reterá nenhuma bênção das nossas vidas hoje. Nossa parte não é nos esforçarmos nas nossas próprias obras e sermos independentes de Deus, mas nos concentrar em receber tudo que precisamos dele.

Creio que quanto mais você for consciente da justiça, mais experimentará o favor imerecido de Deus. Quando a voz da desqualificação vier lhe lembrar de todas as áreas em que você deixou a desejar, **essa** é a hora de se voltar para Jesus que o qualifica e ouvir a Sua voz. Esse é o verdadeiro combate da fé! O combate da fé é lutar para crer que você foi feito justo pela fé e não pelas obras. Paulo, falando das suas próprias realizações sob a lei, disse que as considera como "refugo, para ganhar a Cristo, e ser achado nele, **não**

tendo justiça própria, que procede de lei, senão a que é mediante a fé em Cristo, **a justiça que procede de Deus, baseada na fé**" (Filipenses 3:8,9).

Então está claro que há dois tipos de justiça na Bíblia: (1) Uma justiça que vem da sua obediência e de tentar conquistar o seu caminho para obtê-la. (2) Uma justiça que vem da fé em Jesus Cristo.

Apenas uma delas tem um fundamento sólido e inabalável. Uma é construída sobre você e sua capacidade de guardar a lei, ao passo que a outra é construída sobre a Rocha dos séculos — Jesus Cristo. Uma só pode lhe dar a confiança ocasional para pedir o favor de Deus, dependendo do quanto você percebe ter agido bem. A outra lhe dá confiança EM TODO O TEMPO para ter acesso ao Seu favor imerecido, mesmo quando você sente que absolutamente não merece.

De quem você quer depender quando as coisas ficam sérias — da sua justiça ou da justiça perfeita de Jesus, que é sólida como a rocha? É a sua fé na justiça de Jesus que lhe dá o direito ao favor imerecido de Deus. Hoje, por causa do que Jesus fez na cruz, você pode esperar que boas coisas lhe aconteçam. Pode pedir a Deus coisas grandes e estender as mãos para receber o destino abençoado que Ele tem para você e sua família. A Sua justiça é o seu direito ao favor imerecido de Deus! Não permita que nenhuma voz de acusação lhe diga o contrário!

Oração de Hoje

Pai, eu Te agradeço porque no meu momento mais baixo, na minha hora mais escura, a luz do Teu favor ainda brilha e chega até mim. Eu Te agradeço porque posso receber coisas boas de Ti mesmo quando menos mereço, porque não se trata da minha obediência, mas da obediência perfeita do Teu Filho Jesus na cruz.

Pensamento de Hoje

Tenho acesso ao favor de Deus em todo o tempo, mesmo quando me sinto menos merecedor!

Reflexão de Hoje Sobre o Favor

DIA 34

Você Tem a Presença e o Favor de Deus Independentemente das Circunstâncias que o Cercam

❖

Versículo de Hoje

Para onde me ausentarei do teu Espírito? Para onde fugirei da tua face? Se subo aos céus, lá estás; se faço a minha cama no mais profundo abismo, lá estás também; se tomo as asas da alvorada e me detenho nos confins dos mares, ainda lá me haverá de guiar a tua mão, e a tua destra me susterá.
— *Salmos 139:7-10*

Hebreus 13:5 diz que a presença de Deus na sua vida é uma presença constante garantida. Mas quero que você saiba que não pode avaliar a presença de Deus e o Seu favor imerecido em sua vida com base nas circunstâncias que o cercam. Para ajudá-lo a entender o significado disso, vamos examinar a vida de José.

José não considerou as circunstâncias que o cercavam, mas manteve o foco na presença do Senhor.

José recusou o assédio da mulher de Potifar, e como diz o velho ditado: "O inferno não conhece fúria maior que a de uma mulher desprezada"! Ela maliciosamente acusou José de tentar violentá-la, exibindo como "evidência" as vestes que ele havia deixado em suas mãos ao fugir dela. Quando Potifar ouviu sua mulher contar sua versão da história, sua ira levantou-se e ele agarrou José, destituiu-o da posição de autoridade que havia lhe dado e lançou-o na prisão.

Simplesmente coloque-se no lugar de José. O que está acontecendo aqui? Tudo isso parece familiar demais, não é mesmo? Com a lembrança dolorosa de seus irmãos lançando-o no poço ainda fresca em sua mente, ali está ele de novo, lançado em uma masmorra embora fosse inocente. Qualquer pessoa comum ficaria amargurada com Deus! A maioria das pessoas perguntaria: "Onde está Deus? Por que Ele o levou até tão longe, apenas para abandoná-lo? Como isso pode acontecer? Onde está a justiça diante dessa falsa acusação?"

Mas José literalmente não era um "José qualquer"! Ele sabia que o Senhor nunca o deixaria nem o abandonaria. José não considerou as circunstâncias que o cercavam, mas manteve o foco na presença do Senhor. Independentemente de ser um escravo comum, um supervisor da casa de Potifar, ou agora um prisioneiro diante da hipótese de prisão perpétua por um crime que nem sequer cometeu, José não avaliou o favor imerecido de Deus em sua vida com base nas circunstâncias. Em vez de ficar amargo, manteve a esperança no Senhor. Em vez de jogar a toalha e desistir de Deus e da vida, manteve a confiança, sabendo que todo o seu sucesso estava na presença do Senhor.

E, amigo, como o Senhor o libertou! Quero que você leia isto por si mesmo para ver o que o Senhor fez por José:

> *O Senhor, porém, era com José, e lhe foi benigno, e lhe deu mercê perante o carcereiro; o qual confiou às mãos de José todos os presos que estavam no cárcere; e ele fazia tudo quanto se devia fazer ali. E nenhum cuidado tinha o carcereiro de todas as coisas que estavam nas mãos de José, porquanto o Senhor era com ele, e tudo o que ele fazia o Senhor prosperava.*
>
> — *Gênesis 39:21-23*

O que isto lhe diz? Se você se recusar a se curvar diante das circunstâncias que o cercam e permanecer consciente da presença do Senhor, onde quer que você seja colocado, seja qual for o seu ambiente, você será elevado a um lugar de proeminência. Terá o favor dos seus patrões e eles o promoverão a uma posição de comando. E tudo o que você fizer prosperará!

Oração de Hoje

Pai, conserva-me atento à Tua amorosa presença onde quer que eu esteja. E porque Tu estás comigo e és por mim, eu Te agradeço porque terei o favor das pessoas e prosperarei em tudo o que eu fizer!

Pensamento de Hoje

A presença de Deus em minha vida fará com que eu prospere independentemente do local ou da posição em que eu esteja.

Reflexão de Hoje Sobre o Favor

DIA 35

Com o Favor de Deus, Você Não Pode Deixar de Prosperar

Versículo de Hoje

... pois ainda que o justo caia sete vezes, tornará a erguer-se.
—Provérbios 24:16, NVI

Quando o favor imerecido de Deus está sobre você onde quer que você esteja, como estava sobre José, (1) você não pode deixar de ser favorecido, (2) em tudo que você faz não pode acontecer outra coisa senão a prosperidade, e (3) você não pode fazer outra coisa a não ser ter crescimento e promoção além daquilo que possa imaginar!

Os seus pontos mais fracos são plataformas de lançamento para as maiores promoções de Deus.

Você consegue perceber que este era um padrão constante na vida de José? Não importava se ele era um escravo ou prisioneiro. O mesmo se aplica a você. Quando o favor imerecido de Deus está sobre a sua vida, você é como uma bola de borracha em uma piscina de água. As circunstâncias naturais podem tentar empurrá-lo para baixo e mantê-lo submerso debaixo d'água, mas o favor imerecido de Deus sempre fará com que você PULE novamente para o topo!

Não desanime diante das suas circunstâncias atuais. Sei que as coisas às vezes podem parecer tristes, sombrias e talvez até arrasadoras, mas ainda não terminou, meu amigo. Escrevi este livro para lhe dizer que ainda não acabou! Não creio, nem por um instante, que entre os milhões de livros publicados até este momento você esteja segurando este livro especificamente por acaso ou por coincidência. Este é um encontro marcado com Deus e creio que Ele está lhe dizendo: "Não desista. Ainda não acabou!"

Há muitas vezes em que os pontos mais fracos na sua vida são na verdade plataformas de lançamento para a promoção maior de Deus em sua vida. Foi assim para José! Vamos voltar a fita e observar as impressões digitais do Senhor em meio aos altos e baixos da vida de José. Se ele não tivesse sido traído por seus irmãos, não teria sido vendido como escravo e não estaria na casa de Potifar. Se não estivesse na casa de Potifar, não teria sido lançado em uma prisão egípcia destinada especificamente aos prisioneiros do rei. Se não estivesse naquela prisão em especial, não teria interpretado os sonhos dos oficiais de Faraó. Se não tivesse interpretado os sonhos deles, não teria sido chamado para interpretar o sonho de Faraó dois anos depois. Se não tivesse interpretado o sonho de Faraó, Faraó não teria promovido José a seu primeiro-ministro sobre todo o império egípcio!

Eis o que Faraó disse a José: "Visto que Deus te fez saber tudo isto, ninguém há tão ajuizado e sábio como tu. Administrarás a minha casa, e à tua palavra obedecerá todo o meu povo; somente no trono eu serei maior do que tu. Disse mais Faraó a José: Vês que te faço autoridade sobre toda a terra do Egito" (Gênesis 41:39-41). Quando olhamos para trás, fica claro que o Senhor transformou a hora mais escura de José no seu melhor momento!

A presença de Deus com José e o Seu favor imerecido fizeram com que José fosse promovido do poço ao palácio, do monte de esterco à colina do Capitólio, da casa de sapê à Casa Branca. Pare de olhar para as circunstâncias e pare de permitir que elas o desanimem. O mesmo Senhor que era com José é com você neste exato momento. Você não pode fracassar! Espere e verá o sucesso além das suas circunstâncias atuais!

Oração de Hoje

Pai, eu Te agradeço porque não está tudo acabado para mim. Posso estar mal agora, mas por causa da Tua presença e favor em minha vida, Tu me tirarás do poço e me colocarás em um lugar alto. Não posso deixar de ter crescimento e promoção além de tudo que eu possa imaginar, porque Tu estás comigo!

Pensamento de Hoje

O mesmo Senhor que estava com José está comigo neste exato momento. E assim como José, terei crescimento e promoção independentemente das circunstâncias!

Reflexão de Hoje Sobre o Favor

DIA 36

O Seu Direito ao Favor Imerecido de Deus

Versículo de Hoje

Aquele que não conheceu pecado, ele o fez pecado por nós; para que, nele, fôssemos feitos justiça de Deus. — 2 Coríntios 5:21

Não há dúvidas de que todos os crentes querem experimentar o favor imerecido de Deus em suas vidas. Todos nós queremos ter sucesso no nosso casamento, família, carreira, assim como no nosso ministério. Todos nós queremos desfrutar o melhor de Deus e das Suas mais ricas bênçãos. Queremos a Sua provisão, Sua saúde e poder fluindo poderosamente em nossas vidas, e sabemos que todas essas bênçãos estão abrangidas pelo favor imerecido de Deus. Quando o Seu favor imerecido está do seu lado, nada pode se levantar contra você. Mas se o Seu favor é imerecido, como podemos estar qualificados para recebê-lo? Se não podemos conquistá-lo ou merecê-lo, como podemos ter confiança de que teremos o Seu favor imerecido?

A sua justiça em Cristo é o fundamento firme sobre o qual você pode colocar as suas expectativas para receber o favor imerecido de Deus.

Uma das principais coisas que desejo fazer neste livro é construir sobre os ensinamentos existentes a respeito do favor de Deus e dar aos crentes um firme fundamento sobre **por que eles têm direito ao favor imerecido** de Deus em suas vidas hoje. Você sabe as respostas para as perguntas abaixo?

Por que você pode esperar que coisas boas aconteçam?
Por que você pode desfrutar o favor imerecido de Deus?
Por que você pode pedir grandes coisas a Deus?

Amado, as suas respostas encontram-se todas no Monte Gólgota, o lugar da caveira. É o lugar onde o Homem sem pecado tornou-se pecado, para que você e eu pudéssemos nos tornar a justiça de Deus nele. A justiça dele é o **seu direito** ao favor imerecido de Deus.

Você pode esperar o bem...

Você pode desfrutar o favor imerecido de Deus... Você pode pedir grandes coisas a Deus...

...porque você foi feito justiça de Deus através do sacrifício de Jesus na cruz!

Não acredite somente na minha palavra. Veja novamente 2 Coríntios 5:21: "Aquele que não conheceu pecado, ele o fez pecado por nós; para que, nele, fôssemos feitos justiça de Deus."

A sua justiça em Cristo é o firme fundamento sobre o qual você pode construir suas expectativas de receber o favor imerecido de Deus. Deus vê você através da lente da cruz de Seu Filho, e assim como Jesus hoje é merecedor de bênçãos, paz, saúde e favor, você também é (1 João 4:17)!

Oração de Hoje

Pai, eu Te agradeço porque Jesus pagou o preço para que eu tivesse o Teu favor imerecido. Ele levou os meus pecados e me deu a Sua justiça. E porque sou justo em Cristo, espero que bênçãos como paz e saúde coroem a minha cabeça. Descanso na Tua Palavra que declara que assim como Jesus é, também eu sou neste mundo.

Pensamento de Hoje

Deus me dá o que Jesus merece porque eu sou a justiça de Deus em Cristo.

Reflexão de Hoje Sobre o Favor

_____

_____

_____

_____

DIA 37

Você Está Sob a Nova Aliança do Favor Imerecido

Versículo de Hoje

Chamando "nova" esta aliança, ele tornou antiquada a primeira; e o que se torna antiquado e envelhecido está a ponto de desaparecer.
—*Hebreus 8:13, NVI*

Você está sob a nova aliança do favor imerecido através da obra consumada de Jesus. A velha aliança baseada nas suas obras agora é obsoleta. Veja o que a Bíblia diz em Hebreus 8:13 na versão NVI: "Chamando 'nova' esta aliança, ele tornou antiquada a primeira; e o que se torna antiquado e envelhecido está a ponto de desaparecer."

Sob a lei, até os melhores falharam. Sob a graça, até os piores podem ser salvos!

Leia este versículo na sua Bíblia com atenção. Não foi Joseph Prince quem disse que a velha aliança é obsoleta. Estou apenas reiterando o que li na minha Bíblia. A Palavra de Deus nos diz em termos bem precisos que a aliança de Moisés é antiquada e obsoleta. Ela não é mais relevante para o crente da nova aliança que está em Cristo hoje! Então não fui eu quem encontrou defeito na velha aliança da lei. **O próprio Deus** encontrou defeito na velha aliança da lei.

Vamos ver outro versículo:

Porque, se aquela primeira aliança tivesse sido sem defeito, de maneira alguma estaria sendo buscado lugar para uma segunda.
—*Hebreus 8:7*

A Bíblia Viva capta a exasperação do apóstolo Paulo com a velha aliança da lei: "O velho acordo não deu resultado nenhum. Se tivesse dado, não teria havido nenhuma necessidade de um outro para substituí-lo. O próprio Deus encontrou defeito no antigo..." (Hebreus 8:7,8, ABV).

Pense nisto objetivamente por um instante. Só por um segundo, coloque de lado todos os ensinamentos tradicionais que você ouviu ou leu. Vamos raciocinar juntos, não com base no que o homem diz, mas fundamentados completamente no que Deus disse na Sua Palavra. A Sua Palavra é a nossa única premissa imutável. Com base neste trecho da Bíblia que acabamos de ler juntos, se não houvesse nada de errado com a velha aliança da lei, por que Deus entregaria o Seu único e precioso Filho para ser brutalmente crucificado, para que Ele pudesse fazer uma nova aliança conosco? Por que Ele estaria disposto a pagar um preço tão alto, permitindo que Jesus fosse humilhado publicamente e sofresse uma violência desumana, se não houvesse algo de fundamentalmente errado com a velha aliança da lei?

A cruz demonstrou que Deus encontrou defeito na velha aliança e estava determinado a torná-la obsoleta. Ele estava determinado a nos resgatar dos nossos pecados fazendo uma nova aliança com o Seu Filho Jesus. Este é o amor incondicional impressionante que Deus tem por você e por mim. Ele sabia que nenhum homem podia ser justificado e tornado justo pela lei. Só o sangue do Seu Filho seria capaz de nos justificar e de nos tornar justos em Cristo.

Em todos os 1500 anos em que Israel esteve sob a aliança da lei, nem uma única pessoa tornou-se justa pela lei. Até mesmo as melhores delas, como Davi, falharam. A Bíblia descreve-o como um homem segundo o coração de Deus (1 Samuel 13:14, Atos 13:22). Mas até ele falhou — cometeu adultério com Bate-Seba e mandou matar seu marido, Urias. Que esperança, então, você e eu temos sob a lei?

Graças a Deus, porque sob a nova aliança do Seu favor imerecido, até o pior de nós pode clamar o nome de Jesus e recebê-lo como seu Senhor e Salvador. Em um instante, podemos nos tornar justos pela fé no poderoso nome de Jesus! Sob a lei, até os melhores falharam. Sob a graça, até os piores podem ser salvos!

O que tudo isso significa para nós? Significa que não temos mais de depender das nossas próprias obras para conquistar as bênçãos, a aprovação e o favor de Deus. Hoje, meu amigo, podemos depender do Seu favor imerecido para termos paz, saúde e sucesso através do sacrifício perfeito de Jesus Cristo.

Oração de Hoje

Pai, eu Te agradeço porque não estou sob a velha aliança da lei hoje, na qual até os melhores de nós falham, mas estou sob a nova aliança do Teu favor imerecido. Obrigado por me colocar sob esta nova aliança em que não tenho de trabalhar para conquistar as Tuas bênçãos e o Teu favor. Em vez disso, posso simplesmente descansar, sabendo que tenho as Tuas bênçãos, a Tua aprovação e o Teu favor porque Jesus os garantiu para mim pelo Seu sacrifício na cruz. Hoje, descanso no Teu favor imerecido para conquistar o sucesso que preciso ter.

Pensamento de Hoje

A lei me condena quando faço o meu melhor. A graça me salva quando faço o meu pior e me dá o favor imerecido de Deus para que eu tenha paz, saúde e sucesso.

Reflexão de Hoje Sobre o Favor

_____

_____

_____

_____

_____

_____

_____

DIA 38

Conheça os Direitos da Sua Aliança em Cristo

Versículo de Hoje

O meu povo está sendo destruído, porque lhe falta o conhecimento...
— Oséias 4:6

Não posso deixar de enfatizar o quanto é crucial para um crente hoje saber que está sob a nova aliança do favor imerecido de Deus e não mais sob a lei. Muitos crentes bons, sinceros e bem-intencionados hoje são derrotados por causa da sua falta de conhecimento da nova aliança e de todos os benefícios que Jesus comprou para eles na cruz.

O que precisamos é de uma maior revelação e conhecimento de Jesus e de tudo que Ele fez por nós!

"Mas, Pastor Prince, não devíamos estar olhando para os benefícios quando cremos em Jesus".

Fico feliz por você ter tocado neste ponto. Vamos ver o que o salmista pensa sobre isso: "Bendize, ó minha alma, ao Senhor, e tudo o que há em mim bendiga ao seu santo nome. Bendize, ó minha alma, ao Senhor, e não te esqueças de nem um só de **seus benefícios**. Ele é quem perdoa todas as tuas iniquidades; quem sara todas as tuas enfermidades; quem da cova redime a tua vida e te coroa de graça e misericórdia; quem farta de bens a tua velhice, de sorte que a tua mocidade se renova como a da águia" (Salmos 103:1-5).

Amado, este é o coração de Deus. Ele quer que você se lembre de todos os benefícios que Jesus comprou para você com o Seu sangue! Está no Seu coração ver você desfrutando cada benefício, cada bênção e cada favor dele na nova aliança da Sua graça. O perdão dos pecados é seu. A saúde é sua. A proteção divina é sua. O favor é seu. As coisas boas e a renovação da sua juventude são suas! Todos eles são presentes preciosos do Senhor para você, e Ele tem alegria indizível quando vê você desfrutando deles e tendo êxito na vida. Mas é a **falta de conhecimento** do que Jesus realizou na cruz que tem roubado de muitos crentes a possibilidade de desfrutar desses bons presentes e benefícios.

Isto me faz lembrar uma história que li sobre um homem que visitou uma senhora pobre que estava morrendo. Enquanto ele estava sentado próximo à sua cama em meio a uma parte entulhada de sua casa destruída, um único quadro pendurado em sua parede descascada chamou a sua atenção.

Em vez de uma pintura, a moldura continha um pedaço de papel amarelado onde algo estava escrito. Ele perguntou à senhora sobre aquele pedaço de papel e ela respondeu: "Bem, eu não sei ler, então não sei o que diz. Mas há muito tempo atrás, eu trabalhava para um homem muito rico que não tinha família. Antes de morrer, ele me deu este pedaço de papel e eu o guardei como recordação sua durante os últimos 40 ou 50 anos." O homem deu uma olhada mais de perto no conteúdo da moldura, hesitou por um instante, e depois disse: "A senhora sabe que na verdade este é o testamento daquele homem? Ele a nomeia como a única beneficiária de todas suas as riquezas e bens!"

Durante cerca de 50 anos, aquela senhora havia vivido em uma miséria extrema, trabalhando dia e noite para conseguir com dificuldade uma existência miserável para si. Durante todo esse tempo, a sua própria ignorância havia lhe roubado completamente uma vida de riquezas e luxo da qual ela poderia ter desfrutado. Esta é uma história triste, mas o que é ainda mais triste é o fato dessa tragédia acontecer todos os dias nas vidas de crentes que não entendem a herança que Jesus deixou em testamento para eles quando abriu mão da Sua vida na cruz.

O que precisamos hoje não é de mais leis para governar os crentes. Precisamos é de uma maior revelação e conhecimento de Jesus e de tudo o que Ele fez por nós! Em Oséias 4:6, Deus lamentou: "O meu povo está sendo destruído porque lhe falta o conhecimento..." Que não estejamos entre essas pessoas. Em vez disso, que sejamos um povo que é cheio do conhecimento de Jesus, da Sua pessoa, do Seu amor e da Sua obra consumada. Não permita que a sua ignorância continue roubando-o. Descubra tudo a respeito dos direitos da sua aliança em Cristo hoje!

Oração de Hoje

Pai, eu Te agradeço porque Tu perdoaste todas as minhas iniquidades e curaste todas as minhas doenças. Obrigado por redimir minha vida da destruição, coroando-me com Teu doce amor e Tuas ternas misericórdias, e satisfazendo minha boca com coisas boas, de tal modo que a minha juventude é renovada como a da águia. Ajuda-me a lembrar de todos estes benefícios todos os dias, e mostra-me mais de Jesus, da Sua obra consumada e dos direitos de minha aliança com Ele.

Pensamento de Hoje

Bendirei ao Senhor e não me esquecerei de todos os Seus benefícios.

Reflexão de Hoje Sobre o Favor

_____
_____
_____
_____
_____
_____
_____
_____
_____
_____
_____
_____

DIA 39

Em Que a Nova Aliança se Baseia

❖

Versículo de Hoje

Pois, para com as suas iniquidades, usarei de misericórdia e dos seus pecados jamais me lembrarei. —Hebreus 8:12

Hoje, por causa da cruz, você está sob a nova aliança da graça. Agora, em que a nova aliança se baseia? Amado, Deus é tão bom! A nova aliança que Deus fez não depende de nada que você e eu precisemos fazer porque Ele sabe que sempre falharemos. Ouça com atenção. A nova aliança funciona por causa de uma coisa somente, e é a última cláusula da nova aliança — "**Pois,** para com as suas iniquidades, usarei de misericórdia e dos seus pecados jamais me lembrarei." Dentro da medida em que você tiver uma revelação desta cláusula e de suas bênçãos, é nessa medida que você irá andar.

A nova aliança funciona *porque* Deus diz que Ele usará de misericórdia para com a nossa injustiça, e dos nossos pecados e atos de iniquidade não se lembrará mais!

Observe a palavra "Pois". Ela significa "porque". A nova aliança funciona **porque** Deus diz que Ele usará de misericórdia para com a nossa injustiça, e dos nossos pecados e atos de iniquidade Ele não se lembrará mais! "Mais" significa que houve um tempo em que Deus se lembrava dos nossos pecados, até para nos castigar até a terceira e quarta gerações (Êxodo 20:5). Isto está nos Dez Mandamentos. Entretanto, hoje, Deus diz enfaticamente "Não mais!" (É a dupla negativa que é usada no grego). "Não mais" significa que Deus nunca mais se lembrará dos nossos pecados contra nós porque Ele se lembrou (de castigar) todos os nossos pecados no corpo de Seu Filho. Jesus levou o castigo de Deus pelos nossos pecados na cruz. Agora, podemos andar na nova aliança e ouvir Deus dizer: "Dos seus pecados e atos de iniquidade não me lembro mais."

Meu amigo, a nova aliança funciona por causa da última cláusula. Em outras palavras, por causa de Hebreus 8:12, Deus pode colocar as Suas leis nas nossas mentes e escrevê-las nos nossos corações, e todos nós podemos conhecê-lo e ser dirigidos por Ele. É a Sua misericórdia para conosco que nos capacita a ouvi-lo e a sermos guiados por Ele para a vitória em todas as situações!

Oração de Hoje

Pai, eu Te agradeço porque a nova aliança tem a ver unicamente com o fato de que Tu fazes por mim o que eu não posso fazer por mim mesmo. E sou muito grato porque os benefícios e privilégios da nova aliança são meus porque Tu não Te lembras mais dos meus pecados e atos de iniquidade! Hoje, posso ser guiado por Ti e conhecer-Te intimamente, tudo porque Tu de modo algum guardarás os meus pecados ou irás usá-los contra mim.

Pensamento de Hoje

Por causa do sacrifício de Jesus, Deus não se lembra dos meus pecados e Ele me deu todos os benefícios da nova aliança!

Reflexão de Hoje Sobre o Favor

_____
_____
_____
_____
_____
_____
_____
_____

DIA 40

Está Escrito no Seu Coração

Versículo de Hoje

Porque Deus é quem efetua em vós tanto o querer como o realizar, segundo a sua boa vontade. — Filipenses 2:13

Deus tornou muito fácil para nós, na nova aliança, sermos dirigidos pela Sua sabedoria e amor. Não precisamos mais correr para os profetas para descobrir a Sua vontade para nós. Ele próprio nos guia! Para aqueles que querem servir ao Senhor, mas não sabem por onde começar, simplesmente perguntem a si mesmos o que está no seu coração. Se você tem o desejo de trabalhar com crianças, faça isso. Como um crente da nova aliança, é assim que o seu Pai o guia. Ele coloca as Suas leis na sua mente e as escreve no seu coração!

Deus fala com você diretamente e facilitou as coisas para você conhecer a Sua vontade através das impressões que coloca no seu coração.

Talvez você sinta um ímpeto de abençoar alguém financeiramente, embora a pessoa pareça próspera. Siga esse apelo porque hoje Deus fala com você diretamente e Ele facilitou as coisas para você conhecer a Sua vontade através das impressões que coloca no seu coração. Todos nós sabemos como a aparência pode ser enganadora. Por exemplo, muitos impostores acreditam que o povo que frequenta a igreja é ingênuo. Assim, eles se vestem mal e usam uma história triste bem ensaiada para levá-lo a lhes dar dinheiro. Por outro lado, existem pessoas nobres que se vestem lindamente aos domingos para honrar aquela ocasião, mas podem estar em dificuldades financeiras. Assim, precisamos seguir as impressões do nosso coração e não aquilo que os nossos olhos veem. Portanto, quando você sentir o desejo de fazer algo por alguém, faça-o, sabendo que você tem um coração novinho em folha que ouve a Deus, e que é Deus quem opera em você tanto o querer quanto o efetuar!

Oração de Hoje

Pai, eu Te agradeço porque Tu simplesmente escreveste a Tua vontade para mim no meu coração. E eu Te agradeço porque Tu não apenas me dás o desejo ou a disposição de fazer o que Tu queres que eu faça, como também me dás a força e a capacidade para realizar isso! Obrigado por me dirigir a partir do meu interior em tudo que necessito fazer hoje.

Pensamento de Hoje
Deus coloca os Seus desejos no meu coração e é Ele quem me dá poder para realizá-los.

Reflexão de Hoje Sobre o Favor

DIA 41

Esteja Consciente da Presença de Jesus na Sua Carreira

Versículo de Hoje

Pois tu, SENHOR, abençoas o justo e, como escudo, o cercas da tua benevolência. — Salmos 5:12

Onde quer que você esteja, seja o que for que você faça, com a presença do Senhor e o Seu favor imerecido cobrindo-o, não há como você não ser um sucesso. Quando comecei a trabalhar aos vinte e poucos anos, ficava praticando a consciência da presença de Jesus. Dedicava-me a pensar que Ele estava presente, ao meu lado, e em pouco tempo tornei-me o primeiro vendedor da minha empresa. Eu não apenas fechava os negócios mais importantes para a minha empresa, como também garantia a maior frequência de transações de vendas.

> **Seja qual for a vocação na qual esteja, você pode experimentar a presença de Jesus e o Seu favor imerecido, e Ele fará de você um sucesso!**

Comecei como um dos funcionários que tinha o salário mais baixo da empresa, mas o Senhor me promovia constantemente, e me dava diferentes fontes de renda dentro da mesma companhia, até que me tornei um dos funcionários mais bem pagos daquela organização. Por favor, entenda que não estou contando isso para me vangloriar. Sei, sem sombra de dúvida, que todo o sucesso que tive em minha carreira é resultado da presença de Jesus e do Seu favor imerecido sobre a minha vida.

Contei-lhe sobre a minha carreira (antes que eu entrasse para o ministério em tempo integral) para que você não fique achando que tive o bom sucesso do Senhor somente porque sou um pastor. Não. Conforme mencionei anteriormente, seja qual for a vocação na qual esteja, você pode experimentar a presença de Jesus e o Seu favor imerecido, e **Ele** fará de você um sucesso!

Quer você seja um *chef*, um motorista ou um consultor, não importa. Deus está do seu lado para abençoá-lo e para fazer de você um sucesso. É claro, você entende que estou me referindo apenas a profissões moralmente corretas. Você não pode depender do favor imerecido de Deus se trabalha em uma indústria que exige que você faça concessões à sua moral cristã. Se estiver envolvido em uma indústria moralmente corrupta ou em um emprego que espera que você minta ou engane, o meu conselho para você é: saia! Você não precisa depender de um emprego que o coloca em uma posição moralmente comprometedora para obter sua renda. Deus o ama intimamente e Ele tem algo muito melhor reservado para você. Confie nele.

Deus está aqui para evitar sua autodestruição. Ele quer lhe dar um bom sucesso e o ama demais para vê-lo permanecer em um emprego que o obriga a fazer concessões. A Bíblia diz: "Mais vale o bom nome do que as muitas riquezas; e o ser estimado é melhor do que a prata e o ouro" (Provérbios 22:1). Deus tem um caminho mais elevado e um plano melhor para a sua vida. Você pode andar nele hoje dependendo do Seu favor imerecido para supri-lo e fazê-lo prosperar!

Oração de Hoje

Pai, eu Te agradeço porque a Tua presença e o Teu favor imerecido representam tudo que eu preciso para ter um bom sucesso em minha carreira. Obrigado por sempre estar ao meu lado e por me dar o Teu sucesso sobrenatural na minha carreira e nos meus relacionamentos.

Pensamento de Hoje

A presença de Jesus e o Seu favor imerecido irão me impelir adiante na minha carreira!

Reflexão de Hoje Sobre o Favor

DIA 42

Sacrifício Perfeito, Perdão Completo

Versículo de Hoje

E a vós outros, que estáveis mortos pelas vossas transgressões e pela incircuncisão da vossa carne, vos deu vida juntamente com ele, perdoando todos os nossos delitos. — Colossenses 2:13

Você nunca terá certeza de ter o favor imerecido de Deus se não estiver certo de que Deus perdoou os seus pecados. Amado, saiba que seus pecados foram perdoados não de acordo com as riquezas das suas boas obras, mas com as riquezas da graça (favor imerecido) de Deus. Todos os seus pecados — passados, presentes e futuros — foram perdoados. Não delimite uma linha no tempo quanto ao perdão de Deus para os seus pecados. Há alguns cristãos que acreditam que o perdão recebido por eles vai somente do dia em que nasceram até o dia em que se tornaram cristãos. Desse ponto em diante, eles acham que precisam andar com muito cuidado para não perder a sua salvação. Essa crença é simplesmente antibíblica. A Bíblia afirma claramente em Colossenses 2:13 que **todos** os nossos pecados foram perdoados.

Na cruz, Jesus levou sobre Si todos os pecados que você cometerá na sua vida, e pagou de uma vez por todas o preço integral por todos os seus pecados.

"Todos". Essa palavra significa a mesma coisa para você que significa para mim? A minha Bíblia diz que todos os nossos pecados foram perdoados pelo único sacrifício de Jesus na cruz. Fomos perdoados de uma vez por todas! Os sumos sacerdotes da velha aliança tinham de oferecer sacrifícios pelos pecados diariamente. Mas Jesus, o nosso Sumo Sacerdote perfeito da nova aliança, ofereceu o sacrifício completo e perfeito "de uma vez por todas quando a Si mesmo se ofereceu" (Hebreus 7:27). Na cruz, Ele levou sobre Si todos os pecados que você cometerá na sua vida, e pagou de uma vez por todas o preço integral por todos os seus pecados. Cristo não precisa ser crucificado novamente pelos seus pecados futuros. Na verdade, todos os seus pecados já estavam lá no futuro quando Ele morreu na cruz. Portanto, quando você recebeu Jesus em seu coração, TODOS os seus pecados foram completamente perdoados!

Agora que você sabe que a sua dívida pelo pecado foi completamente paga e quitada por Jesus em seu favor, não espere que Deus o trate de acordo com os seus pecados. Quando algo negativo acontecer, não imagine que Deus está vindo atrás de você por causa de algo que você fez no passado. Em vez disso, acredite nele pela Sua Palavra e espere desfrutar os benefícios do alto preço que Jesus pagou na cruz por você. Nós não semeamos nada de bom, mas através de Jesus, colhemos todas as boas bênçãos. Isto, meu amigo, chama-se favor imerecido. E você honra o que Ele fez por você agradecendo-lhe e esperando que essas bênçãos se manifestem na sua vida todos os dias.

Oração de Hoje

Pai, a Tua Palavra é a verdade: TODOS os pecados que cometi e cometerei foram perdoados por Ti por causa de Jesus. Ele levou cada um dos meus pecados na cruz e foi punido ao máximo. Portanto, sei que sou justamente perdoado. O meu perdão está fundamentado no sacrifício seguro e perfeito de Jesus. Obrigado por estender a mim um favor tão imerecido!

Pensamento de Hoje

TUDO foi perdoado por causa do sacrifício perfeito de Jesus.

Reflexão de Hoje Sobre o Favor

_____

_____

_____

DIA 43

Deus Está Satisfeito com Você

Versículo de Hoje

... Ele nos fez ser aceitos no Amado. — *Efésios 1:6*

Quando era adolescente, eu pertencia a um grupo cristão de irmãos. Cantávamos esse hino, que talvez você conheça: *"Será que Ele está satisfeito, será que Ele está satisfeito, será que Ele está satisfeito comigo? Será que eu fiz o meu melhor? Será que passei no teste? Será que Ele está satisfeito comigo?"*¹ Deixe-me dizer uma coisa: quando cantávamos esta canção, eu **sempre** acreditava que Deus **não** estava satisfeito comigo. Quando olhamos para nós mesmos, tudo o que há para ver é a inadequação e a futilidade da nossa capacidade e desempenho. Em nós mesmos, jamais atenderemos ao padrão de Deus para que Ele fique satisfeito conosco. Sempre deixaremos a desejar!

Deus não vai punir o crente novamente, não porque Ele tenha se tornado complacente com o pecado, mas porque todos os nossos pecados já foram punidos no corpo de Jesus.

Você pode imaginar como nos sentíamos condenados cada vez que cantávamos esta canção! Afinal, nunca havia sido ensinado a nós que Deus estava satisfeito com o sacrifício de Seu Filho na cruz, e não entendíamos o que a nova aliança da graça significava. Éramos jovens e zelosos por Deus, mas estávamos sendo derrotados pela nossa falta de conhecimento.

Com todo o devido respeito ao compositor, que acredito ter tido a melhor das intenções quando escreveu essa canção, ela não se baseia na nova aliança do favor imerecido de Deus. Ela nega a cruz e coloca a ênfase de volta em você — no que você precisa fazer, realizar e executar para Deus ficar satisfeito com você. Mas a pergunta a ser feita hoje não é se Deus está satisfeito com você. Precisamos fazer a seguinte pergunta: Deus está satisfeito com a cruz de Jesus? E a resposta é esta: Ele está completamente satisfeito!

Na cruz, encontra-se a nossa aceitação. Ali, Jesus clamou com o Seu último suspiro: "Está consumado!" (João 19:30). A obra está concluída. A punição completa por todos os nossos pecados foi infligida a Jesus na cruz. Deus não vai punir o crente novamente, não porque Ele tenha se tornado complacente com o pecado, mas porque todos os nossos pecados **já foram punidos** no corpo de Jesus. A santidade de Deus e a Sua justiça agora estão do seu lado! Hoje, Deus não está avaliando-o com base no que Jesus fez. Deus está satisfeito com Jesus hoje? Sim, é claro que está! Então, na mesma medida em que Deus está satisfeito com Jesus, Ele está satisfeito com você.

O Filho do próprio Deus teve de ser esmagado no Calvário para que essa bênção se tornasse uma realidade na sua vida. O dom do Seu favor imerecido e da Sua justiça é um dom gratuito para você hoje somente porque o pagamento completo feito por ele foi infligido ao corpo de Jesus. A cruz fez toda a diferença! Não deixe que ninguém o engane fazendo-o pensar que precisa pagar pelos seus próprios pecados. Não deixe ninguém enganá-lo com a mentira de que a sua salvação eterna em Cristo é incerta e pode ser abalada!

Oração de Hoje

Pai, eu Te agradeço porque a Tua santidade e justiça agora estão ao meu lado por causa do sacrifício de Jesus por mim. Eu Te agradeço porque Tu não me avalias com base no que eu faço, mas com base no que Jesus fez. E porque Tu estás plenamente satisfeito com Jesus, Tu estás plenamente satisfeito comigo hoje!

Pensamento de Hoje

*Na mesma medida em que Deus está satisfeito com Jesus,
Ele está satisfeito comigo.*

Reflexão de Hoje Sobre o Favor

DIA 44

Muito lhe Foi Perdoado

Versículo de Hoje

Por isso, te digo: perdoados lhe são os seus muitos pecados, porque ela muito amou; mas aquele a quem pouco se perdoa, pouco ama. — Lucas 7:47

Vamos ler Lucas 7:36-50 com atenção para ver o que Jesus disse sobre o perdão dos pecados. Simão, o fariseu, havia convidado Jesus para ir à sua casa. Enquanto Jesus estava sentado à mesa na casa de Simão, uma mulher foi até Ele. Ela começou a chorar e lavou os pés dele com suas lágrimas. Depois, secou os pés de Jesus com seus cabelos, beijou-os e ungiu-os com óleo perfumado.

Você só amará Jesus intensamente quando experimentar Sua graça abundante e o Seu favor imerecido de perdoá-lo por todos os seus pecados — passados, presentes e futuros.

Quando Simão viu isso, ele disse consigo mesmo: "Se este homem fosse profeta, saberia quem e que tipo de mulher é esta que o está tocando, pois é uma pecadora." Embora Simão não tivesse falado em voz alta, é interessante o fato de Jesus ter lhe respondido fazendo a seguinte pergunta: "Certo credor tinha dois devedores: um lhe devia quinhentos denários, e o outro, cinquenta. Não tendo nenhum dos dois com que pagar, **perdoou-lhes a ambos**. Qual deles, portanto, o amará mais?" Respondeu-lhe Simão: "Suponho que aquele a quem mais perdoou." Então Jesus disse a ele: "Julgaste bem."

Em seguida, voltando-se para a mulher, Jesus disse a Simão: "Vês esta mulher? Entrei em tua casa, e não me deste água para os pés; esta, porém, regou os meus pés com lágrimas e os enxugou com os seus cabelos. Não me deste ósculo; ela, entretanto, desde que entrei não cessa de me beijar os pés. Não me ungiste a cabeça com óleo, mas esta, com bálsamo, ungiu os meus pés. Por isso, te digo: Perdoados lhe são os seus muitos pecados, porque ela muito amou; mas aquele a quem pouco se perdoa, pouco ama."

A mulher amou **muito** a Jesus porque **sabia** que havia sido **muito perdoada**. Na verdade, ninguém foi pouco perdoado. Todos nós fomos muito perdoados. E aquela mulher sabia disso. Então o que é mais "perigoso" acerca desta doutrina do perdão completo dos pecados é que você se apaixona por Jesus e acaba cumprindo sem esforço o maior mandamento: "Amarás o Senhor, teu Deus, de todo o teu coração, de toda a tua alma e de todo o teu entendimento" (Mateus 22:36-38). Aleluia!

Se você **achar** que foi pouco perdoado, então amará pouco. Mas quando **souber** do quanto foi perdoado, você amará a Jesus muito! Saber o quanto foi perdoado é o segredo para amar Jesus! Em outras palavras, você só amará Jesus intensamente quando experimentar Sua graça abundante e o Seu favor imerecido de perdoá-lo por todos os seus pecados — passados, presentes e futuros. Mas a Sua graça é barateada quando você acha que Ele só lhe perdoou pelos pecados que cometeu até o momento em que você foi salvo, e depois daquele ponto, você precisa depender da sua confissão de pecados para ser perdoado.

O perdão de Deus não é dado à prestação. Não ande por aí pensando que quando você confessa um pecado, Ele o perdoa só por aquele pecado. Então, na próxima vez que pecar, você precisa confessar o seu pecado novamente para que Ele o perdoe novamente. Este é o tipo de crença que barateia a graça de Deus. E o resultado disso é que por você pensar que Ele o perdoou pouco, você acaba amando-o pouco, e se priva de correr até Ele e vê-lo ajudá-lo, libertá-lo e fazê-lo prosperar.

Amado, com um sacrifício na cruz, Jesus apagou todos os pecados de toda a sua vida! Não banalize o Seu favor imerecido com os seus esforços imperfeitos de confessar todos os seus pecados. Reconheça esse dom que Jesus lhe deu e o valor que ele merece recebendo-o completamente e experimentando o Seu favor imerecido hoje!

Oração de Hoje

Pai, eu Te agradeço porque sou muito perdoado. Na verdade, todos os meus pecados de toda a minha vida foram perdoados, apagados de uma vez por todas pelo sangue eterno de Jesus. Portanto, hoje, espero receber o Teu favor imerecido e todas as coisas boas que Tu colocaste no meu caminho!

Pensamento de Hoje

Saber o quanto fui perdoado é o segredo para amar Jesus intensamente.

Reflexão de Hoje Sobre o Favor

DIA 45

Por que uma Revelação do Seu Perdão é Tão Importante

Versículo de Hoje

Filhinhos, eu vos escrevo, porque os vossos pecados são perdoados, por causa do seu nome. — 1 João 2:12

De vez em quando as pessoas me perguntam: "Pastor Prince, por que a compreensão do perdão completo dos meus pecados é tão importante para que eu ande no favor imerecido de Deus?"

Esta é uma boa pergunta. Deixe-me compartilhar com você algumas das implicações envolvidas. Em primeiro lugar, se você não tem confiança de que todos os seus pecados foram perdoados, então a sua segurança eterna e a sua salvação eterna sempre estarão pendendo na balança.

Quando não tem o senso claro do seu perdão completo, você vive constantemente em uma gangorra emocional.

Em segundo lugar, se você pensa que seus pecados não foram tratados completamente na cruz, então nunca pode ter a confiança para desfrutar a presença do Senhor, pois nunca tem certeza de que Ele está do seu lado ou se está esperando para puni-lo por causa da avaliação da sua conduta, e você nunca poderá realmente ter a ousadia para pedir grandes coisas a Deus, ou para acreditar que Ele lhe dará sucesso em sua vida.

Em terceiro lugar, se você não acredita que Jesus já lhe perdoou por todos os seus pecados, isso significa que quando você falha, acredita que não está em uma posição correta diante de Deus e que a comunhão com Ele foi cortada. E em vez de depender do Seu favor imerecido para superar o seu erro, você sente que precisa confessar seu pecado, sentir arrependimento e fazer as pazes com Deus para somente depois disso poder restaurar a comunhão com Ele e depender dele novamente.

Todo esse processo se resume do seguinte modo: quando você não tem um senso claro do seu perdão completo, vive constantemente em uma gangorra emocional. Às vezes, sente que as coisas entre Deus e você estão muito bem, mas outras vezes, você não acha que seja assim. Às vezes, se sente confiante de que o Senhor está com você para fazer de você um sucesso, mas, outras vezes, sente que estragou tudo e que o Senhor não vai ajudá-lo até você confessar o seu pecado e reparar o erro.

Você fica preso em um ciclo constante de sentimentos de insegurança, no qual está sempre pulando para dentro e para fora do favor de Deus. Todos esses sentimentos dependem de como você acha que foi o seu desempenho, e ignoram a cruz de Jesus completamente. Meu amigo, Deus não o avalia com base no seu comportamento. Ele só vê a obra perfeita de Jesus. Mas porque você não acredita que Jesus realmente o perdoou por todos os seus pecados, acaba se sentindo um hipócrita e um total e completo fracasso.

Espero que você esteja começando a perceber que entender o perdão completo dos seus pecados não é apenas para os teólogos. Pensar que os seus pecados não foram completamente perdoados afetará de maneira fundamental o seu relacionamento com Jesus. Embora Ele esteja pronto para abençoá-lo, para lhe dar o Seu favor e para fazer de você um sucesso, a incredulidade na Sua obra consumada rouba de você a capacidade de receber a Sua bondade, as Suas bênçãos, o Seu favor imerecido e o Seu sucesso na sua vida.

A cruz de Jesus o qualificou, mas a incredulidade na cláusula principal da nova aliança o desqualifica. Medite no que Deus diz sobre os seus pecados na nova aliança e liberte-se para receber dele hoje. A nova aliança se baseia inteiramente no Seu favor imerecido. Não há nada para você fazer, nada para realizar, nada para cumprir. A sua parte na nova aliança é apenas ter fé em Jesus e crer que você foi totalmente perdoado e liberto para desfrutar as bênçãos da nova aliança através da Sua obra consumada!

Oração de Hoje

Pai, eu Te agradeço por me mostrar porque é tão importante que eu acredite que todos os meus pecados foram perdoados. Não quero que o meu relacionamento contigo seja afetado pelas dúvidas sobre o meu perdão completo. Decido meditar no que Tu declaraste acerca dos meus pecados dentro da nova aliança e me ver recebendo tudo que preciso de Ti hoje, só por causa do que Cristo fez por mim na cruz.

Pensamento de Hoje

Sou totalmente perdoado e livre para desfrutar as bênçãos da nova aliança através da obra consumada de Jesus hoje!

Reflexão de Hoje Sobre o Favor

DIA 46

Você Não Pode Perder a Comunhão com Deus

Versículo de Hoje

Setenta semanas estão determinadas sobre o teu povo e sobre a tua santa cidade, para fazer cessar a transgressão, para dar fim aos pecados, para expiar a iniquidade, para trazer a justiça eterna... — Daniel 9:24

Existem alguns cristãos que acreditam que você pode perder a comunhão com Deus quando peca, e que precisa confessar o seu pecado a Deus e obter o perdão para se tornar justo novamente. Eles afirmam que o seu **relacionamento** com Deus não é rompido quando você peca, mas a **comunhão** com Ele sim, então você precisa confessar o seu pecado para restaurar a comunhão com Ele.

Como um crente da nova aliança, você é justo não apenas até o seu próximo pecado. Você tem justiça eterna!

Embora essa afirmação soe como algo muito bom, acreditar que sua comunhão com Deus é rompida quando você peca afetará a sua capacidade de comparecer diante do Seu trono da graça para receber dele. Na verdade, as palavras "relacionamento" e "comunhão" têm a mesma raiz grega "*koinonia*".[1] Isso significa que mesmo falhando, seu relacionamento e comunhão com Deus não são rompidos. Por quê? Porque os seus pecados e falhas foram todos pagos na cruz. Como você pode perder a sua justiça em Cristo quando ela se baseia inteiramente na Sua obra perfeita e não na sua imperfeição?

Para se certificar de como temos justiça eterna em Cristo, leia a profecia no livro de Daniel sobre a obra de Jesus no Calvário. Daniel 9:24 descreve a missão de Jesus em termos claros: "... para fazer cessar a transgressão, para dar fim aos pecados, para expiar a iniquidade, para trazer a **justiça eterna**." Amado, podemos nos alegrar hoje, porque Jesus cumpriu cada letra dessa profecia! O sangue de touros e bodes na velha aliança apenas garantia justiça temporal e limitada para os filhos de Israel, e é por isso que a cada novo erro, os sacrifícios tinham de ser repetidos.

Mas na nova aliança, o sangue de Jesus põe fim ao pecado e nos dá justiça eterna! Ouça com atenção: Jesus não tem de ser crucificado seguidamente sempre que você falha pois todos os pecados já foram pagos na cruz. Precisamos confiar no quanto a Sua obra consumada é completa e perfeita. Hoje, como um crente da nova aliança, você é justo não apenas até o seu próximo pecado. Você tem **justiça eterna**!

Oração de Hoje

Pai, eu Te agradeço porque o sangue do Teu Filho Jesus pôs um fim ao pecado e me deu justiça eterna! E porque tenho este dom da justiça eterna que não depende das minhas obras, a minha comunhão contigo não pode ser rompida, mesmo quando eu ajo mal. Ainda posso vir a Ti com ousadia para receber graça e ajuda. Como eu poderia não ser vitorioso na vida com a Tua graça e ajuda?

Pensamento de Hoje

Porque estou em Cristo, tenho justiça eterna!

Reflexão de Hoje Sobre o Favor

_____
_____
_____
_____
_____

DIA 47

A Nossa Parte na Nova Aliança da Graça

Versículo de Hoje

Tomai, pois, irmãos, conhecimento de que se vos anuncia remissão de pecados por intermédio deste; e, por meio dele, todo o que crê é justificado de todas as coisas das quais vós não pudestes ser justificados pela lei de Moisés. — Atos 13:38-39

Qual é a nossa parte na nova aliança da graça? Nossa parte na nova aliança da graça é simplesmente crer! Em que devemos crer? Devemos crer em Jesus! Mas siga o meu raciocínio atentamente agora, pois essa resposta pode não ser tão direta quanto parece. Se você perguntasse às pessoas nas ruas se elas acreditam em Jesus, provavelmente receberia todo tipo de respostas. Haveria aquelas que acreditam que Jesus existiu como uma figura histórica, um filósofo mortal, um líder carismático ou um profeta. Infelizmente, a verdade é que acreditar em todas essas coisas sobre Jesus não as salvará.

A sua parte na nova aliança do favor imerecido de Deus é crer que você foi completamente perdoado de todos os seus pecados, e que o sangue de Jesus o purifica de toda a sua injustiça e iniquidade.

Portanto, vamos definir o que significa crer em Jesus. Crer em Jesus é antes de tudo crer nele e recebê-lo como seu Senhor e Salvador que morreu na cruz por todos os seus pecados. Crer em Jesus é crer que Ele é o único caminho para a salvação e que quando o recebe, você recebe também o dom da vida eterna. Além do mais, crer em Jesus é crer sem sombra de dúvida que todos os seus pecados — passados, presentes e futuros — foram todos punidos na cruz e que hoje (é aqui que a última cláusula da nova aliança se aplica), Ele NÃO SE LEMBRA MAIS de todos os seus pecados e atos de iniquidade!

Com base na nova aliança da graça, em que Deus quer que você creia? Ele quer que você creia de todo o coração que Ele falava muito sério quando disse: "Pois, para com as suas iniquidades, usarei de misericórdia e dos seus pecados jamais me lembrarei" (Hebreus 8:12). Como você vê, na nova aliança não há nada que possamos fazer a não ser crer! A sua parte na nova aliança do favor imerecido de Deus é crer que você foi completamente perdoado de todos os seus pecados, e que o sangue de Jesus o purifica de toda a sua injustiça e iniquidade.

Aos olhos de Deus hoje, você tornou-se perfeitamente justo pela obra consumada de Jesus. A ênfase da nova aliança é crer que você foi perdoado por todos os pecados e que Deus os apagou da Sua memória. Se não crer nisso, será impossível para você depender de Deus e esperar que Ele o proteja, supra as suas necessidades e o prospere. Se você não crer nessas premissas, isso roubará de você a capacidade de receber a Sua bondade, as Suas bênçãos, o Seu favor imerecido e o Seu sucesso em sua vida. Portanto, creia. Simplesmente creia!

Oração de Hoje

Pai, eu Te agradeço porque todos os meus pecados — passados, presentes e futuros — foram apagados pelo sangue de Jesus. De modo algum Tu te lembrarás deles. Hoje, espero ver a Tua provisão e a Tua proteção. Recebo a Tua bondade, as Tuas bênçãos, o Teu favor imerecido e o Teu bom sucesso para cada área da minha vida.

Pensamento de Hoje

Apenas creia!

Reflexão de Hoje Sobre o Favor

_____

_____

DIA 48

Submeta Tudo o Que Você Ouve ao Teste da Palavra de Deus

Versículo de Hoje

Não desprezeis as profecias; julgai todas as coisas, retende o que é bom.
— 1 Tessalonicenses 5:20-21

Eu o encorajo a testar tudo o que ouve à luz da Palavra de Deus. Sempre digo à minha congregação para ler a Bíblia por eles mesmos em vez de simplesmente engolir tudo o que qualquer pregador, inclusive eu, diz. Seja sábio e não engula tudo simplesmente — o anzol, a linha, o carretel, o pescador e até as botas dele! Use o seu discernimento quando ouvir algo que não caia bem no seu espírito, como quando um pregador lhe disser algo do tipo: "Deus envia a doença para lhe ensinar uma lição." Pergunte a si mesmo: "Isso é coerente com a nova aliança do favor imerecido de Deus? Existe algum texto bíblico da nova aliança para sustentar esse ensinamento?"

Para entender a Bíblia, precisamos ler cada texto em seu contexto.

A resposta é óbvia quando você a alinha com Jesus e com o que Ele fez na cruz por você! Por que Deus lhe daria uma doença quando Jesus levou todas as doenças e enfermidades sobre o Seu próprio corpo na cruz? Com toda certeza no seu coração do fato de que essa doença não procede de Deus, você pode ter fé para ser curado! Mas qual certeza você pode ter se acreditar na mentira de que o seu estado de saúde procede de Deus? Ora, em vez de pensar que Deus está contra você, entenda, Ele está do seu lado! A sua confiança é restaurada, a fé é renovada e a cura de Deus pode fluir incessantemente através de cada célula, tecido e órgão do seu corpo!

Deixe-me apenas compartilhar com você as palavras de Miles Coverdale, que disse: "Deverá ajudar-vos grandemente entender as escrituras, se marcardes não apenas o que é dito ou escrito, mas de quem e para quem, com que palavras, em que momento, onde, com qual intenção, em que circunstância, considerando o que ocorreu antes, e depois."[1]

Basicamente, ele estava dizendo que para entender a Bíblia, precisamos ler tudo dentro do seu contexto. Que conselho poderoso do homem que traduziu e produziu a primeira Bíblia em inglês do século XVI.

Meu amigo, discirna corretamente as alianças sempre que ler a Bíblia e você nunca ficará envergonhado. Agora que recebeu Jesus em sua vida, você está sob a nova aliança e é o seu direito pela nova aliança desfrutar o favor imerecido de Jesus para ter êxito na vida!

Oração de Hoje

Pai, dá-me um coração cheio de discernimento para que quando eu leia a minha Bíblia ou ouça um sermão, eu saiba distinguir o que pertence à velha aliança e o que pertence à nova aliança. Não quero ser ingênuo nem crédulo, mas quero ser capaz de reconhecer o que está no Teu coração para mim hoje, e o que é meramente opinião do homem ou tradição, para que eu possa desfrutar com confiança do Teu favor imerecido que está baseado na verdade da Tua Palavra.

Pensamento de Hoje

É meu direito pela nova aliança desfrutar o favor imerecido de Jesus para ter êxito na vida.

Reflexão de Hoje Sobre o Favor

DIA 49

Ponha o Foco na Obra Consumada de Jesus

Versículo de Hoje

Outrora, sem a lei, eu vivia; mas, sobrevindo o preceito, reviveu o pecado, e eu morri. E o mandamento que me fora para vida, verifiquei que este mesmo se me tornou para morte. — Romanos 7:9-10

Em 1942, C.S. Lewis escreveu um livro brilhante intitulado *Cartas de um Diabo a seu Aprendiz*. Ele conta a história de um demônio veterano que ensina a um demônio principiante como explorar as fraquezas e fragilidades do homem. A partir dessa mesma perspectiva, imagino que Romanos 7:9 provavelmente seja o versículo mais estudado e memorizado no inferno. Todos os demônios principiantes aprenderiam esse versículo e a palestra se intitularia "Como gerar um avivamento do pecado"! De acordo com Paulo, quando você introduz a lei, há um AVIVAMENTO DO PECADO! E isso não é tudo. Além de avivar o pecado, a lei também mata e gera morte! Não é impressionante, então, que ainda haja ministros bem-intencionados que pregam com firmeza os Dez Mandamentos, achando que a imposição da lei conseguirá remover o pecado?

> **A única maneira de sair do círculo vicioso da derrota é colocar o foco na obra consumada de Jesus.**

De acordo com Romanos 3:20, "**pela lei vem o pleno conhecimento do pecado**". Em outras palavras, sem a lei, não haveria conhecimento do pecado. Por exemplo, você pode dirigir em qualquer velocidade que deseje em uma estrada em que não há limite de velocidade e ninguém pode acusá-lo por excesso de velocidade. Mas quando as autoridades estabelecem um limite de velocidade para a mesma estrada, você passa a ter o conhecimento de que se dirigir acima de, digamos, 100 quilômetros por hora nessa estrada, você estará infringindo a lei.

Da mesma forma, Paulo disse: "Pois não teria eu conhecido a cobiça, se a lei não dissera: Não cobiçarás" (Romanos 7:7). É por isso que o inimigo sempre derrama acusações sobre você usando a voz de um legalista. Ele usa a lei e os mandamentos para mostrar os seus erros, para chamar a atenção para o fato de como o seu comportamento o desqualificou para ter comunhão com Deus, e para apontar constantemente como você não é merecedor da aceitação, do amor e das bênçãos do Senhor! O inimigo usa a lei para amontoar condenação sobre você e para lhe dar um sentimento de culpa e de afastamento de Deus. Ele sabe que quanto mais condenação e culpa você vivenciar, mais provável é a possibilidade de você se sentir alienado de Deus, permanecendo naquele pecado. A única forma de sair desse círculo vicioso de derrota é colocar o foco sobre a obra consumada de Jesus, que pela Sua morte na cruz levou a sua condenação e o qualificou para receber a aceitação, o amor e as bênçãos de Deus para todo o sempre.

Oração de Hoje

Pai, eu Te agradeço porque não há condenação para mim pois estou em Cristo. Eu Te agradeço porque meus pecados foram perdoados e Tu me vês como justo em Cristo. Ajuda-me a sempre me lembrar dessas verdades eternas, principalmente quando o inimigo tentar usar a lei para me condenar. Eu Te agradeço porque hoje e todos os dias, tenho a Tua presença, o Teu amor e a Tua aceitação constantes.

Pensamento de Hoje

A arma favorita do inimigo para me manter derrotado é a lei. Então colocarei o foco na obra consumada de Jesus e não no meu esforço próprio.

Reflexão de Hoje Sobre o Favor

DIA 50

A Imensa Paz de Deus

Versículo de Hoje

E a paz de Deus, que excede todo o entendimento, guardará o vosso coração e a vossa mente em Cristo Jesus. — Filipenses 4:7

Quero falar com você hoje sobre experimentar o tipo de paz que vem de Deus em meio a circunstâncias atemorizantes. Meu amigo, paz não significa ausência de problemas em sua vida. Não é a ausência de tumulto, desafios ou de coisas que não estão em harmonia com o seu ambiente físico. É possível estar em meio à maior crise da sua vida e ainda assim ter paz. Essa é a verdadeira espécie de paz que você pode ter com Jesus — a paz que excede todo o entendimento. Falando do ponto de vista natural, não faz sentido você se sentir completamente descansado e em paz quando está em apuros, mas do ponto de vista sobrenatural, você pode ser cheio de paz!

Jesus nos dá paz, segurança, cobertura e proteção mesmo em meio a uma tempestade.

O mundo define paz, harmonia e tranquilidade com base no que está acontecendo na esfera das sensações. A noção de paz do mundo seria mais ou menos assim: um homem deitado em uma rede em uma praia de areias brancas no Havaí com música de luau tocando suavemente na cabana, coqueiros balançando ao vento em perfeita harmonia e ondas tépidas e azuis rolando languidamente ao longo da praia. O mundo chama isso de paz — até que a realidade se instala, e a paz transitória que havia há apenas alguns minutos se dissipa no ar!

Como pode ver, meu amigo, você não pode usar o seu ambiente externo para influenciar permanentemente a confusão que sente interiormente.

Só Jesus pode tocar o que você está sentindo por dentro e transformar esse tumulto na paz que Ele dá. Com o Senhor ao seu lado, e mantendo aquele lugar de paz permanente no seu interior, você pode influenciar o seu ambiente externo. Entretanto, o contrário não acontece. Com Jesus, a transformação é sempre de dentro para fora e não de fora para dentro. Ele coloca uma paz e um descanso no seu coração que são tão seguros a ponto de você pode enfrentar qualquer desafio sem preocupação ou estresse, independentemente das circunstâncias negativas e do seu ambiente ao seu redor.

Oração de Hoje

Pai, eu reconheço que o tipo de paz que o mundo oferece não pode durar. Mostra-me hoje e nos dias que virão como posso experimentar e andar mais na Tua paz profunda e permanente que excede todo o entendimento e à qual tenho direito em Cristo.

Pensamento de Hoje

A paz interior que vem de Deus pode influenciar minhas circunstâncias externas.

Reflexão de Hoje Sobre o Favor

_____

_____

_____

_____

_____

_____

_____

DIA 51

Paz em Meio à Tempestade

Versículo de Hoje

O que habita no esconderijo do Altíssimo e descansa à sombra do Onipotente... Cobrir-te-á com as suas penas, e, sob suas asas, estarás seguro... — Salmos 91:1,4

Lembro-me de ter lido a respeito de uma competição de arte na qual o tema era "paz". O artista que retratasse com mais eficiência a paz na sua obra de arte ganharia a competição. Os artistas pegaram suas tintas, suas telas e pincéis e começaram a criar suas obras-primas. Quando chegou a hora de julgar as obras de arte, os juízes ficaram impressionados com as diversas cenas de tranquilidade ilustradas pelos artistas. Havia uma peça majestosa retratando uma paisagem serena de colinas iluminadas pela lua e outra peça evocativa que mostrava um homem solitário andando tranquilamente através de um rústico campo de arroz.

Só Jesus pode tocar o que você está sentindo interiormente e transformar essa confusão na paz que vem dele.

Então, os juízes se depararam com uma peça peculiar que parecia quase aterrorizante e até feia para alguns. Era a antítese de todas as outras peças que haviam visto antes. Aquela pintura era uma dissonância selvagem de cores violentas e era óbvia a agressão com a qual o artista havia lançado o pincel contra a tela. Retratava uma violenta tempestade na qual as ondas do oceano cresciam a uma altura ameaçadora e batiam contra as extremidades escarpadas de um rochedo com uma força estrondosa. Relâmpagos ziguezagueavam ao redor do céu enegrecido e os galhos da única árvore que se encontrava no topo de rochedo eram jogados para o lado pela força da ventania. Ora, como este retrato poderia ser um epítome da paz?

No entanto, os juízes deram por unanimidade o primeiro prêmio ao artista que pintou a tempestade turbulenta. Embora os resultados inicialmente parecessem ser confusos, a razão da decisão dos juízes imediatamente se torna clara logo que se dá uma olhada mais de perto na tela vencedora. Oculto em uma fenda do rochedo está uma família de águias apertada em seu ninho. A mamãe águia encara os ventos que zunem, mas seus filhotes pequenos estão alheios à tempestade e adormeceram sob o abrigo de suas asas.

Ora, **este** é o tipo de paz que Jesus dá a você e a mim! Ele nos dá paz, segurança, cobertura e proteção mesmo em meio à tempestade. O salmista descreve isso lindamente: "O que habita no esconderijo do Altíssimo e descansa à sombra do Onipotente... Cobrir-te-á com as suas penas, e, sob suas asas, estarás seguro."

Não há lugar mais seguro que sob o abrigo protetor das asas do seu Salvador. Não importa quais circunstâncias possam estar atacando-o violentamente. Você pode clamar ao Senhor pelo Seu favor imerecido, como Davi fez no Salmo 57:1 — "Tem misericórdia de mim, ó Deus, tem misericórdia, pois em ti a minha alma se refugia; à sombra das tuas asas me abrigo, até que passem as calamidades". A Bíblia *New American Standard* diz: "Se propício a mim, ó Deus, sê propício a mim, pois a minha alma se refugia em Ti; e na sombra das Tuas asas me abrigarei até que a destruição passe." Que divina segurança podemos ter hoje, sabendo que mesmo se a destruição enfurecida nos cercar, podemos nos abrigar no Senhor.

Oração de Hoje

Pai, eu Te agradeço porque no meio de qualquer crise, posso me refugiar à sombra das Tuas asas e ter a Tua paz. Minha confiança está em Ti e eu Te agradeço porque Tu me protegerás e livrarás a mim e aos meus entes queridos independentemente do que esteja nos atacando ferozmente.

Pensamento de Hoje

Aconteça o que for posso me abrigar no Senhor e desfrutar da Sua paz.

Reflexão de Hoje Sobre o Favor

DIA 52

Vigie Aquilo que Entra pelas Portas dos Seus Olhos e Ouvidos

Versículo de Hoje

Filho meu, atenta para as minhas palavras; aos meus ensinamentos inclina os ouvidos. Não os deixes apartar-se dos teus olhos; guarda-os no mais íntimo do teu coração. Porque são vida para quem os acha e saúde para o seu corpo. — Provérbios 4:20-22

Eu estava assistindo a um programa de televisão popular no qual o apresentador entrevistava alguns especialistas sobre a economia norte-americana. Um "especialista" era muito positivo e deu os seus motivos para ser tão otimista. Então, outro "especialista" interrompeu e apresentou suas razões que apontavam para um panorama econômico desolador. Assisti a esse programa por cerca de uma hora e, no final, nenhum dos "especialistas" pôde concordar com o outro em coisa alguma.

Quanto mais ouvimos e vemos Jesus, mais saudáveis e fortes nos tornamos! Nossos corpos mortais passam a ser cheios do Seu poder e da Sua vida de ressurreição!

O fato sobre esse tipo de debate, seja na televisão, nos jornais ou na Internet, é que supostamente devem ser apresentados dois lados — um bom e o outro mau. Na verdade, nenhuma solução ou resolução é oferecida. Algum tempo depois de assistir àquele programa, compartilhei com a minha equipe pastoral que percebi haver estado me alimentando inadvertidamente da árvore do conhecimento do bem e do mal. Isto foi tudo que absorvi ao assistir àquele tipo de programa — mais conhecimento sobre o que era bom e o que era mau. Entretanto, esse conhecimento não fez nada por mim.

Por outro lado, quando nos alimentamos da pessoa de Jesus, que é a árvore da vida, descobrimos que a Sua sabedoria, a Sua paz, a Sua alegria e o Seu favor imerecido fluem em nossas vidas! Mais uma vez, não estou dizendo que você não deve assistir ao noticiário. Estou apenas dizendo que é importante você observar sua dieta visual — aquilo com o qual você tem alimentado seus olhos. Há muito mais poder em estar cheio de Jesus do que cheio de conhecimento mundano.

Sempre encorajo minha congregação a estar atenta às portas dos olhos e dos ouvidos. Basicamente, isso significa que precisamos estar conscientes do que vemos e ouvimos regularmente. O livro de Provérbios, que está cheio da sabedoria de Deus, nos diz: "Filho meu, **atenta para as minhas palavras**; aos meus ensinamentos inclina **os ouvidos**. Não os deixes apartar-se dos **teus olhos**; guarda-os no mais íntimo do **teu coração**. Porque são **vida** para quem os acha e **saúde**, para o seu corpo."

Deus nos diz para guardarmos o que **ouvimos**, o que **vemos** e o que está **no nosso coração**. Ele quer que tenhamos nossos ouvidos cheios das palavras graciosas de Jesus, os nossos olhos cheios da Sua presença e os nossos corações meditando no que ouvimos e vimos em Jesus. É isso que significa "atenta para as minhas palavras" hoje na nova aliança, pois Jesus é a Palavra de Deus que se fez carne. João 1:14 diz: "E o Verbo se fez carne e habitou entre nós, cheio de graça [favor imerecido] e de verdade, e vimos a sua glória, glória como do unigênito do Pai."

Tudo se resume em contemplar Jesus, e à medida que o contemplamos, somos transformados cada vez mais à Sua semelhança, cheios de favor imerecido e de verdade! Não perca essa promessa poderosa, meu amigo. O resultado de voltarmos as portas dos nossos olhos e ouvidos para Jesus é que Ele será **vida e saúde** para nós. A Bíblia nos mostra que há uma correlação direta entre ouvir e ver Jesus, e a saúde do nosso corpo físico. Quanto mais ouvimos e vemos Jesus, mais nos tornamos saudáveis! Nossos corpos mortais ficam cheios da Sua vida e do Seu poder de ressurreição!

Se estivermos nos alimentando constantemente das notícias da mídia, não é de admirar que nos sintamos fracos e cansados. Não há absolutamente alimento para nós ali. Por favor, ouça o que estou dizendo. Não há problema em se manter a par dos acontecimentos mundiais atuais e estar ciente do que está acontecendo no Oriente Médio, das tendências da economia e dos desenvolvimentos da área política. Essas informações podem até ser necessárias para a indústria em que você está envolvido. Não estou pedindo que você se torne um ignorante nem que more em uma caverna. Só estou dizendo o seguinte: saiba o que é bom para a integridade do seu corpo e da sua mente. Seja sábio — não dê a si mesmo uma *overdose* de informações e de conhecimento que não o encham do poder e da vida de Deus.

Oração de Hoje

Pai, ajuda-me a ser sábio em vigiar o que deixo entrar através das portas dos meus olhos e ouvidos. Eu Te peço para criar em mim uma fome por mais de Jesus e da Sua Palavra. Quero que meus olhos sempre contemplem a Sua beleza e meus ouvidos sempre ouçam Suas palavras cheias de graça. E à medida que eu ver e ouvir mais de Jesus pelo Teu Espírito Santo, eu Te agradeço por uma medida maior de paz, integridade e força, que fluirão através do meu corpo e alma.

Pensamento de Hoje

*Quando mais contemplo Jesus,
mais fico transbordante do Seu favor imerecido.*

Reflexão de Hoje Sobre o Favor

_____

_____

_____

_____

_____

DIA 53

Receba o *Shalom* de Jesus

Versículo de Hoje

O coração em paz dá vida ao corpo... — Provérbios 14:30, NVI

A melhor maneira de saber se você tem ficado embaraçado com as coisas do mundo é ser objetivo e perguntar a si mesmo: "Meu coração está perturbado?" Creio que o assassino número 1 do mundo moderno é o **estresse**. Os médicos da minha igreja me disseram que se um paciente tem pressão alta, eles podem advertir o paciente para cortar o sódio. Podem também aconselhar seus pacientes a cortarem os excessos de açúcar ou colesterol. Mas, como médicos, há algo que eles não podem controlar em seus pacientes: seu nível de estresse.

O estresse não provém de Deus. A paz provém dele!

Eu pessoalmente creio que a causa física e a raiz de muitas doenças hoje é o estresse. O estresse pode produzir todo tipo de desequilíbrio no seu corpo. Pode fazer com que você envelheça prematuramente, pode lhe causar erupções, causar dores gástricas e até levar ao surgimento de tumores no seu corpo. Para colocar as coisas de forma sucinta, o estresse mata! Os médicos nos dizem que certos sintomas físicos são "psicossomáticos" por natureza. Isso porque esses sintomas são gerados por problemas psicológicos como o estresse. O estresse não provém de Deus. A **paz** provém dele!

Acredito que você esteja começando a entender por que Jesus disse "Deixo-vos a paz, a minha paz vos dou; não vo-la dou como a dá o mundo. Não se turbe o vosso coração, nem se atemorize" (João 14:27). Ora, na verdade Jesus não teria usado a palavra "paz". O Novo Testamento grego traduz "paz" como *eirene*, mas como Jesus falava hebraico e aramaico, Ele teria usado a palavra "**shalom**" — "Deixo-vos shalom, o meu **shalom** vos dou; não vo-lo dou como o dá o mundo".

No vernáculo hebraico, "shalom" é uma palavra muito rica e preciosa. Não existe uma palavra em português que possa englobar com precisão a plenitude, a riqueza e o poder contido na palavra "shalom". Por conseguinte, os tradutores da Bíblia só puderam traduzi-la como "paz". Mas embora a palavra "shalom" inclua a paz, ela significa muito mais. Vamos ver o léxico de Brown Driver & Briggs de Hebraico para ter uma ideia melhor do que Jesus quis dizer quando disse "Deixo-vos shalom".

Esse léxico de palavras do hebraico descreve "shalom" como **plenitude, segurança, firmeza (no corpo), bem-estar, saúde, prosperidade, paz, tranquilidade, calma, contentamento, paz usada nos relacionamentos humanos, paz com Deus especialmente no nosso relacionamento de aliança e paz em meio à guerra.**[1] Uau! Que palavra poderosa! Este é o shalom que Jesus lhe deixou como herança: a Sua plenitude, segurança, integridade, bem-estar, saúde, prosperidade, paz, tranquilidade, calma, contentamento, a Sua paz nos relacionamentos humanos, a Sua paz com Deus através da aliança feita na cruz e a Sua paz em meio à guerra. Todas estas coisas, meu amigo, fazem parte da sua herança em Cristo hoje!

Você pode imaginar todas as implicações do que significa experimentar o shalom de Jesus em sua vida? Você pode imaginar a sua vida livre dos remorsos, ansiedades e preocupações? Como você será saudável, vibrante, disposto e forte! Agradeça-lhe por esta bênção hoje e comece a desfrutar o shalom de Jesus em todas as áreas da sua vida.

Oração de Hoje

Senhor Jesus, obrigado por me dar o Teu shalom em todas as áreas da minha vida. Quero experimentar e andar em uma maior medida do Teu shalom. Quero viver uma vida que seja livre de remorsos, ansiedades e preocupações, e ter mais da Tua saúde, energia e força. Hoje, porque tenho o Teu shalom, andarei na Tua paz, prosperidade e proteção enquanto lido com as demandas deste dia.

Pensamento de Hoje

Menos estresse + mais shalom de Jesus = mais saúde

Reflexão de Hoje Sobre o Favor

DIA 54

A Paz de Jesus Predispõe Você ao Sucesso

Versículo de Hoje

No amor não existe medo; antes, o perfeito amor lança fora o medo. Ora, o medo produz tormento; logo, aquele que teme não é aperfeiçoado no amor. — 1 João 4:18

Jesus lhe dá o Seu shalom para predispor você ao sucesso em sua vida. Você não pode ser um sucesso no seu casamento, na sua família e na sua carreira quando está aleijado e paralisado pelo medo. Hoje, enquanto você lê isso, creio de todo o coração que Jesus já começou uma obra no seu coração para libertá-lo de todos os seus temores, sejam eles quais forem. Pode ser o medo do fracasso, do sucesso, o medo das opiniões das pessoas a seu respeito ou mesmo de que Deus não esteja com você.

O shalom de Jesus está ao seu lado para fazer de você um sucesso na vida.

Todos os medos que você está experimentando na sua vida hoje começaram com uma inverdade, uma mentira na qual você de alguma maneira acreditou. Talvez tenha acreditado que Deus está zangado e insatisfeito com você, e que a Sua presença está longe de você. É por isso que a Bíblia diz: "No amor não existe medo; antes, o perfeito amor lança fora o medo. Ora, o medo produz tormento; logo, aquele que teme não é aperfeiçoado no amor."

Esse texto bíblico nos diz que quando você começar a ter uma revelação de que Deus o ama perfeitamente (não por causa do que você fez, mas por causa do que Jesus fez por você), essa revelação do favor imerecido de Jesus lançará fora todo medo, toda mentira, ansiedade, dúvida e toda preocupação de que Deus esteja contra você. Quanto mais você tiver uma revelação de Jesus e de como Ele o aperfeiçoou, mais se libertará para receber o seu completo shalom e ter êxito na vida!

Saiba, meu amigo, que como crente em Jesus Cristo, você tem absoluta paz com Deus. A nova aliança da graça também é conhecida como a aliança da paz. Hoje, você está firmado sobre a justiça de Jesus, e não sobre a sua própria justiça. Hoje, por causa de Jesus, Deus lhe diz: "Porque isto é para mim como as águas de Noé; pois jurei que as águas de Noé não mais inundariam a terra, e assim jurei que não mais me iraria contra ti, nem te repreenderia. Porque os montes se retirarão, e os outeiros serão removidos; mas a minha misericórdia não se apartará de ti, e a **aliança da minha paz** não será removida..." (Isaías 54:9-10).

Deus está do seu lado. O shalom de Jesus está do seu lado para fazer de você um sucesso na vida. Todos os recursos do céu estão do seu lado. Mesmo que você esteja sendo surpreendido por uma tempestade agora mesmo, simplesmente pense na imagem dos filhotes de águia dormindo profundamente apesar da tempestade, aninhados sob as asas de sua mãe, sua protetora e provedora. E que o shalom de Deus, que excede todo entendimento, guarde o seu coração e a sua mente em Cristo Jesus (Filipenses 4:7). Vá nesta paz, meu amigo, e descanse no shalom de Jesus!

Oração de Hoje

Pai, dá-me uma revelação maior de quão perfeitamente Tu me amas, pois o Teu perfeito amor lança fora todo o medo em minha vida. Tu não queres que eu tenha medo do fracasso, das opiniões das pessoas a meu respeito ou do que o futuro me reserva. Por causa de Jesus, estou na aliança da graça e da paz na qual sempre terei a Tua bondade, e na qual o shalom de Jesus está sempre ao meu lado para fazer de mim um sucesso na vida!

Pensamento de Hoje

Deus não está zangado comigo. Ele não me condena, mas me ama perfeitamente por causa do sacrifício perfeito de Jesus por mim.

Reflexão de Hoje Sobre o Favor

DIA 55

A Graça e a Verdade São Uma Só

Versículo de Hoje

Porque a lei foi dada por intermédio de Moisés; a graça e a verdade vieram por meio de Jesus Cristo. — João 1:17

Você sabia que Deus vê a graça (favor imerecido) e a verdade como uma coisa só? Observe em João 1:17 que a verdade está do mesmo lado do favor imerecido de Deus e que tanto a graça (favor imerecido) quanto a verdade vieram por meio de Jesus Cristo. Quando fiz um estudo sobre esse versículo no original grego, descobri que a "graça e a verdade" de fato são mencionadas como uma unidade singular, uma vez que são seguidas pelo verbo traduzido como "vieram". Em outras palavras, aos olhos de Deus, a graça e a verdade são sinônimas — o favor imerecido é a verdade e a verdade é o favor imerecido.

> **Não se pode separar a verdade da graça e a graça da verdade, uma vez que ambas estão personificadas pela pessoa de Jesus Cristo.**

Às vezes, as pessoas me dizem coisas do tipo: "Bem, é bom que você pregue a graça, mas também precisamos dizer às pessoas a verdade." Isso faz parecer como se a graça e a verdade fossem duas coisas diferentes quando, na verdade, elas são uma única coisa. Não se pode separar a verdade da graça, uma vez que ambas estão personificadas pela pessoa de Jesus Cristo. Aliás, apenas alguns versículos antes, em João 1:14, a Bíblia diz referindo-se à pessoa de Jesus: "E o Verbo se fez carne e habitou entre nós, **cheio de graça [favor imerecido] e de verdade**, e vimos a sua glória, glória como do unigênito do Pai." A graça e a verdade se uniram através da pessoa e do ministério de Jesus. A graça não é uma doutrina ou um ensino. A graça é uma Pessoa.

Isso é contrastado com a velha aliança da lei que foi **dada** através de Moisés no Monte Sinai. Podemos ver que Deus é muito preciso ao lidar com as duas alianças e não as mistura. Graça é graça e lei é lei. A graça veio por Jesus ao passo que a lei foi dada por intermédio de Moisés. Jesus não veio para nos dar mais leis. Ele veio para nos dar o Seu favor imerecido, que é a Sua verdade! Seria imensamente proveitoso para você ter em mente que todas as vezes que ler a palavra "graça" na Bíblia, você deve traduzi-la mentalmente por "favor imerecido", porque é o que ela é.

Meu amigo, "a graça veio". Uma coisa é dar, mas outra coisa é vir. Como você pode ver, eu podia enviar um DVD do meu sermão a você em vez de ir até você. Mas se eu for até você, é algo pessoal. A lei foi dada por Moisés, mas a graça veio por meio de Jesus Cristo. Todos os sistemas de moralidade têm a ver com o homem tentando alcançar Deus com sua disciplina pessoal e boas obras, mas no Cristianismo, Deus desceu até onde estávamos a fim de nos elevar até onde Ele está!

Oração de Hoje

Pai, eu Te agradeço porque Jesus veio pessoalmente para morrer por mim e para me libertar do pecado, das cadeias e da morte eterna. Eu Te agradeço porque Ele não veio para me dar mais leis, mas para me dar o Teu favor imerecido, que é a Tua verdade. Hoje, fui elevado e estou sentado com Cristo à Tua direita, tudo porque a graça veio!

Pensamento de Hoje
Jesus não veio para me dar mais leis. Ele veio para me dar o Seu favor imerecido, que é a Sua verdade.

Reflexão de Hoje Sobre o Favor

DIA 56

Abençoado por Causa da Bondade de Deus

Versículo de Hoje

E o Senhor disse a Moisés: "Tenho ouvido as murmurações dos filhos de Israel; dize-lhes: Ao crepúsculo da tarde, comereis carne, e, pela manhã, vos fartareis de pão, e sabereis que eu sou o Senhor, vosso Deus." — Êxodo 16:11,12

Há muitos anos, quando eu estava estudando a Palavra de Deus, o Senhor falou comigo, dizendo: "Antes de a lei ser dada, nenhum dos filhos de Israel morreu quando eles saíram do Egito. Embora tenham murmurado e reclamado contra a liderança indicada por Deus, nenhum deles morreu. Esse é um retrato da pura graça." Eu nunca havia ouvido ninguém ensinar algo assim antes nem havia lido em nenhum livro, então fui rapidamente procurar aquele texto em minha Bíblia e realmente, não consegui encontrar ninguém que tivesse morrido antes de a lei ser dada!

Viver sob a graça significa que todas as bênçãos e provisões que recebemos dependem da bondade de Deus e não da nossa obediência.

Deus libertou os filhos de Israel de uma vida inteira de escravidão realizando grandes sinais e maravilhas. Mas quando eles se viram encurralados entre o Mar Vermelho e o exército egípcio que avançava, reclamaram a Moisés dizendo: "Será, por não haver sepulcros no Egito, que nos tiraste de lá, para que morramos neste deserto? Por que nos trataste assim, fazendo-nos sair do Egito?" (Êxodo 14:11). Que audácia! E, no entanto, Deus puniu aqueles murmuradores? Não, na verdade, Ele salvou os israelitas de modo espetacular, abrindo o Mar Vermelho para que escapassem de seus perseguidores que estavam se aproximando deles.

Depois de terem atravessado para o outro lado do Mar Vermelho, continuaram a murmurar sem parar, apesar das provisões milagrosas e da proteção graciosa de Deus. Em um lugar chamado Mara, eles reclamaram que as águas eram amargas e Deus tornou as águas doces e refrescantes para eles (Êxodo 15:23-25). Então, quando não tinham comida, reclamaram com Moisés novamente, dizendo: "Quem nos dera tivéssemos morrido pela mão do Senhor, na terra do Egito, quando estávamos sentados junto às panelas de carne e comíamos pão a fartar! Pois nos trouxestes até este deserto, para matardes de fome toda esta multidão" (Êxodo 16:3). As suas críticas ferinas e ingratas eram dirigidas não apenas a Moisés, mas também a Deus. E então, Deus mandou chover fogo do céu e enxofre sobre eles? Não! Ele fez chover pão do céu para alimentá-los! Era como se cada nova murmuração gerasse novas demonstrações da bondade de Deus!

Sabe por quê?

Porque todos esses eventos aconteceram antes dos Dez Mandamentos serem dados. Como você vê, antes de a lei ser dada, os filhos de Israel viviam sob a graça (favor imerecido). Viver sob a graça significava que todas as bênçãos e provisões que eles recebiam dependiam da bondade de Deus e não da obediência deles. O Senhor os libertou do Egito não por causa da bondade ou do bom comportamento deles. Ele os tirou pelo sangue do cordeiro (uma ilustração do sangue do Cordeiro de Deus) que foi aplicado nas vergas das portas na noite da primeira Páscoa.

Os filhos de Israel eram dependentes da fidelidade de Deus para com a aliança Abraâmica, uma aliança fundamentada na Sua graça (favor imerecido). Abraão viveu mais de 400 anos antes de a lei ser dada, muito antes de existirem os Dez Mandamentos. Deus havia se relacionado com Abraão com base na **fé** de Abraão na Sua graça e não com base na obediência dele à lei. A Palavra de Deus deixa claro que Abraão não foi justificado pela lei: "Porque, se Abraão foi justificado por obras, tem de que se gloriar, porém não diante de Deus. Pois que diz a Escritura? Abraão **creu** em Deus, e isso lhe **foi imputado para justiça**" (Romanos 4:2-3).

Como Abraão foi justificado? Ele creu em Deus e isso lhe foi imputado para justiça!

Quando os israelitas viajaram do Egito ao Monte Sinai, estavam sob a aliança Abraâmica da graça. Portanto, apesar dos seus pecados, Deus os libertou do Egito e os supriu de maneira sobrenatural, **não com base na bondade e fidelidade deles, mas com base na Sua bondade e fidelidade**. A boa notícia para você e eu é esta: hoje, estamos sob a nova aliança da graça (favor imerecido), e o favor imerecido de Deus está sobre nós. As Suas bênçãos e as Suas provisões para nós se baseiam inteiramente na SUA BONDADE e na SUA FIDELIDADE. Aleluia! Isso não é tremendo?

Oração de Hoje

Pai, eu Te agradeço por todas as vezes que Tu me abençoaste apesar das minhas reclamações e falta de fé. Sou tão feliz porque Tu me abençoas não por causa da minha bondade ou fidelidade, mas por causa da Tua bondade e fidelidade. Chamo este dia de abençoado, frutífero e cheio dos Teus favores gratuitos porque estou sob a Tua pura graça!

Pensamento de Hoje

Deus me abençoa não por causa da minha bondade e fidelidade, mas por causa da SUA bondade e fidelidade!

Reflexão de Hoje Sobre o Favor

DIA 57

O Poder Para Não Mais Pecar

Versículo de Hoje

Agora, pois, já nenhuma condenação há para os que estão em Cristo Jesus.
— Romanos 8:1

Hoje, quero falar sobre como você pode ter uma vida vitoriosa no que se refere aos seus pensamentos. Meu amigo, a solução para as tentações, desejos e pensamentos pecaminosos está no primeiro versículo de Romanos 8: "Agora, pois, já nenhuma condenação há para os que estão em Cristo Jesus" (Por falar nisso, algumas versões da Bíblia, como a Almeida Revista e Corrigida e a Almeida Corrigida Fiel, dão continuidade dizendo "que não andam segundo a carne, mas segundo o Espírito". Essa parte foi acrescentada pelos tradutores mais recentes da Bíblia. Nos manuscritos mais antigos do Novo Testamento disponível hoje, o grego afirma simplesmente: "Agora, pois, já nenhuma condenação há para os que estão em Cristo Jesus.")

Agora você tem o poder de Cristo para se elevar acima da sua tentação e para descansar na sua identidade de justo em Cristo independentemente das suas obras.

Você pode experimentar tentações e pensamentos pecaminosos de tempos em tempos, mas bem no meio dessa tentação, você precisa saber disto: **agora,** pois, já nenhuma condenação **há** para os que estão em Cristo Jesus. Observe que esse versículo está no presente. Agora mesmo, neste mesmo instante, em que pensamentos pecaminosos estão passando pela sua mente, não há condenação porque você está EM CRISTO JESUS! Devemos então ficar sentados, parados e abrigar esses pensamentos pecaminosos? É claro que não.

O pecado não pode criar raízes em alguém que tem plena consciência de ser justo em Cristo. Você não pode impedir os pássaros de voarem sobre a sua cabeça, mas com certeza pode impedir que um deles construa um ninho sobre ela. Da mesma forma, você não pode impedir as tentações, os pensamentos e desejos pecaminosos de passarem pela sua mente, mas pode com certeza impedir a si mesmo de **agir** com base nessas tentações, pensamentos e desejos pecaminosos. Como? Confessando no mesmo instante da tentação que você é a justiça de Deus em Cristo Jesus!

O poder de Jesus para vencer cada tentação se instala quando você permanece consciente de que mesmo durante a tentação, Jesus **ainda** está com você e que você é justo nele independentemente das suas obras (Romanos 4:6)! Ao agir assim você rejeita a condenação pela tentação que enfrentou. Agora você tem o poder de Cristo para se colocar acima da sua tentação e descansar em sua identidade de justo em Cristo independentemente das suas obras. Isto, amado, é a vida vitoriosa em Cristo!

Oração de Hoje

Pai, eu Te agradeço porque por estar em Cristo Jesus, tenho a vida vitoriosa. Também tenho o Teu favor imerecido porque sou justo em Cristo, que está sempre comigo. É a Tua bondade e a Tua graça que me ajudarão a triunfar sobre cada desafio hoje.

Pensamento de Hoje

Decido não ser consciente do pecado, mas consciente do fato de que sou justo em Cristo.

Reflexão de Hoje Sobre o Favor

_____

_____

_____

_____

DIA 58

Libertação dos Hábitos Destrutivos

Versículo de Hoje

... Então, lhe disse Jesus: "Nem eu tampouco te condeno; vai e não peques mais." — João 8:11

Recebi inúmeros testemunhos de pessoas que foram libertas de hábitos destrutivos. São pessoas sinceras e preciosas que desejavam experimentar uma transformação em suas vidas, mas não sabiam como. Entretanto, quando aprenderam a justiça que vem de Cristo independentemente de suas obras, começaram a confessar que ainda eram a justiça de Deus todas as vezes que se sentiam tentadas. E pouco a pouco, quanto mais começavam a crer que eram justas em Cristo, mais se recusavam a aceitar a condenação pelos seus erros passados e pela sua tentação presente, e mais eram libertas dos mesmos vícios que as prendiam!

Assim como Jesus é imaculado e sem culpa, você também é em Cristo!

Um irmão dos Estados Unidos que tem ouvido minhas mensagens há algum tempo, escreveu para compartilhar que havia sido viciado em pornografia e vivido um estilo de vida de imoralidade sexual desde os 14 anos. Embora tivesse aceitado Jesus aos 18 anos, continuava a ter problemas com essa área de sua vida. Eis o que ele escreveu:

> *Como resultado de algumas más influências e de algumas de minhas escolhas erradas, tornei-me viciado em pornografia e comecei a levar uma vida sexual imoral aos 14 anos. Fui salvo aos 18 anos, mas ainda tinha problemas com este tipo de pensamentos e com alguns velhos maus hábitos. Tentei de tudo para me libertar da imoralidade e dos pensamentos de luxúria.*

Então, ouvi a mensagem do Pastor Prince intitulada: "Coisas Boas Acontecem Às Pessoas que Acreditam que Deus as Ama." Ouvi essa mensagem muitas vezes seguidas, e pela primeira vez, o amor de Deus se tornou consideravelmente real para mim. Pude receber o amor incondicional de Deus de forma incessante, e esse amor curou o meu coração.

O amor de Deus me libertou! *Muito obrigado pela mensagem que a sua igreja transmite ao mundo. Ela realmente está transformando vidas!*

A revelação de que Deus o ama **incondicionalmente** apesar das suas falhas e imperfeições foi o que ajudou este irmão a se libertar dos hábitos que o haviam subjugado por muitos anos. Amado, Deus não quer que você peque porque o pecado o destruirá. Mas ainda que você tenha falhado, precisa saber disto: não há condenação porque você está EM CRISTO JESUS e os seus pecados foram lavados pelo Seu sangue! Quando Deus olha para você, Ele não o vê nas suas falhas. Desde o instante em que você aceitou Jesus como seu Senhor e Salvador, Deus o vê no Cristo ressuscitado, sentado à direita do Pai! Assim como Jesus é imaculado e inculpável, você também é! Deus enviou Seu Filho para morrer na cruz por você enquanto ainda era um pecador. Obviamente, Ele não o ama somente quando você é perfeito no seu comportamento e nos seus pensamentos. O Seu amor por você é incondicional. Receba-o novamente hoje e liberte-se de todo pecado e vício que atormentam sua vida!

Oração de Hoje

Pai, eu Te agradeço porque o poder para vencer cada desafio hoje é meu porque sou justo em Cristo. Obrigado pelos dons da justiça e porque não há condenação. Sei que meus pecados não podem impedir a Tua graça, e que o Teu favor imerecido operando em minha vida me capacitará a andar em vitória em todas as situações.

Pensamento de Hoje
Saber e crer que Deus não me condena quando peco me dá poder para vencer esse pecado.

Reflexão de Hoje Sobre o Favor

DIA 59

O Poder do Sangue de Jesus

Versículo de Hoje

"No qual temos a redenção, pelo seu sangue, a remissão dos pecados, segundo a riqueza da sua graça" — *Efésios 1:7*

Talvez você pergunte: "Se Deus é onisciente, como Ele pode se esquecer de todos os nossos pecados?"

Sob a nova aliança, Deus pode declarar que não mais se lembrará dos seus pecados porque os seus pecados já foram lembrados no corpo de Jesus na cruz. Há algo, meu amigo, que Deus não pode fazer — Ele não pode mentir. Então Ele fala sério quando diz que não se lembrará mais dos seus pecados. Nossa parte na nova aliança do favor imerecido de Deus é crer que Ele realmente não se lembra mais dos nossos pecados!

Se o inimigo puder levá-lo a acreditar na mentira de que você não foi completamente perdoado, e mantiver você consciente do pecado, ele poderá mantê-lo derrotado, condenado, com medo de Deus e preso em um círculo de fracasso cruel.

Há poder no sangue de Jesus para perdoá-lo de todos os seus pecados! O inimigo teme esta verdade mais do que todas e é por isso que ele ataca este ensinamento sobre o perdão dos pecados tão veementemente. Se o inimigo puder levá-lo a acreditar na mentira de que você não foi completamente perdoado, e manter você consciente do pecado, ele poderá mantê-lo derrotado, condenado, com medo de Deus e preso a um círculo de fracasso cruel.

Os escritos dos gnósticos* são malévolos porque propagam a mentira de que Jesus foi um mero mortal, o que significa que o Seu sangue não teria poder para anos purificar de todos os nossos pecados. Esta é uma mentira vinda do poço do inferno! Jesus é o Filho de Deus e o Seu sangue não tem contaminação de nenhum pecado. É por isso que o derramamento do Seu sangue puro e inocente é capaz de nos purificar de toda injustiça. O Seu sangue não cobre os pecados temporariamente como o sangue de touros e bodes na velha aliança. O Seu sangue extermina e **apaga completamente** todos os nossos pecados. Este é o sangue do Próprio Deus, derramado pelo perdão de todos os nossos pecados! Precisamos começar a entender que esse não é um "ensinamento básico". É o próprio evangelho de Jesus Cristo.

No fim dos tempos, as pessoas não serão "antideus", elas serão "anticristo". O movimento do anticristo no fim dos tempos tentará desvalorizar a divindade de Jesus, a cruz e o Seu poder para perdoar todos os nossos pecados. É por isso que, nestes últimos dias, precisamos de mais pregações sobre Jesus, a Sua obra consumada e a nova aliança do Seu favor imerecido. Precisamos de mais pregadores da nova aliança, centrados em Cristo, que coloquem a cruz de Jesus como o foco de toda a sua pregação. A única maneira de impedir que este engano se insinue pela igreja é focando em exaltar a pessoa de Jesus e o princípio central da nova aliança, que é o perdão completo dos pecados! Este é o evangelho e quando o evangelho da verdade for pregado, as pessoas serão libertas.

Não deve haver qualquer concessão no que se refere ao evangelho de Jesus. O perdão dos pecados baseia-se na Sua graça (favor imerecido) unicamente e temos acesso a essa graça pela **fé**. Nossa parte é apenas crer! É isso que transforma o evangelho em boas-novas. Retire o completo perdão dos pecados e ele já não é mais o "evangelho", que significa "boas-novas". Amado, creia que todos os seus pecados foram perdoados. Essa é a sua parte na

---

* Os gnósticos eram adeptos do Gnosticismo, sistema religioso cujo início deu-se antes da Era Cristã. Tem suas raízes na ciência sagrada do Egito e na filosofia grega e designava o conhecimento dos mistérios divinos revelados a poucos escolhidos. Incluía nesses ensinamentos matemática, filosofia, teosofia e astrologia. O gnosticismo infiltrou-se na Igreja gerando uma terrível heresia que foi severamente combatida pelos apóstolos. Fonte: Wikipédia, adaptação nossa (Nota da tradutora).

nova aliança. É assim que você passa a ser alguém firmado na nova aliança da graça e experimenta a plenitude do Seu favor imerecido!

Oração de Hoje

Pai, eu Te agradeço porque o sangue de Jesus não é como o sangue de touros e bodes, incapaz de retirar os meus pecados permanentemente. Eu Te agradeço porque o Seu sangue é eterno e tem o poder para remover todos os meus pecados — passados, presentes e futuros — de uma vez por todas! Hoje, apresento-me diante de Ti totalmente perdoado para sempre. Assim como Jesus é sem nenhuma mancha de pecado, também sou eu aos Teus olhos!

Pensamento de Hoje

Porque o sangue de Jesus me purificou completamente, espero ter a plenitude do Seu favor imerecido hoje.

Reflexão de Hoje sobre o Favor

_____
_____
_____
_____
_____
_____
_____
_____
_____
_____

DIA 60

Venha como Está para Jesus

Versículo de Hoje

Converteste o meu pranto em folguedos; tiraste o meu pano de saco e me cingiste de alegria. — Salmos 30:11

Meu amigo, você é favorecido e aceito por Deus hoje por causa do Seu favor imerecido. Ainda que sua vida esteja um caos, Ele pode pegar o seu caos e transformá-lo em algo lindo. Venha para Ele assim como você está.

Anos atrás, um dos membros da minha igreja de repente deixou de frequentar os cultos por muito tempo. Encontrei-me com ele para ver como estava indo e ver se tudo estava bem. Ele foi muito sincero comigo e disse que estava passando por muitos problemas em seu casamento, e naquele momento também estava viciado em álcool. Então, ele disse isto: "Deixe-me consertar minha vida, e depois voltarei para a igreja."

Você é santificado, justificado e purificado pelo sangue de Jesus Cristo, e é a Sua condição de justo que o qualifica — nada mais e nada menos.

Sorri e lhe perguntei: "Você se limpa antes de tomar banho?" Pela expressão dele, pude ver que foi pego de surpresa com a minha pergunta, então eu lhe disse: "Venha **como está** para o Senhor. Ele é o banho. Ele vai limpá-lo. Ele colocará sua vida em ordem para você, e fará com que todo vício perca o poder sobre a sua vida. Você não precisa usar os seus próprios esforços para se limpar antes de tomar banho!"

Fico feliz em compartilhar a volta desse precioso irmão à igreja e o fato de Jesus ter feito uma reviravolta em sua vida. Hoje, ele está casado e feliz, abençoado com uma linda família e é um dos meus líderes-chave de confiança.

É isso que o Senhor faz quando você vem para Ele como está, e permite que Ele o ame até restaurá-lo. Ele tornará todas as coisas lindas em sua vida.

Existem muitas pessoas hoje que são como aquele irmão. Elas querem consertar suas vidas sozinhas, antes de virem para Jesus. Elas têm a impressão de que precisam se tornar santas antes de poderem entrar na santa presença de Deus. Sentem-se como se estivessem sendo hipócritas se não consertarem suas vidas antes de virem à igreja.

Nada poderia estar mais longe da verdade. Você nunca será capaz de se tornar santo o bastante para estar qualificado para receber as bênçãos de Deus. Você é santificado, justificado e purificado pelo sangue de Jesus Cristo, e é a **Sua** condição de justo que o qualifica — nada mais e nada menos. Portanto, pare de tentar se limpar antes de vir para o Senhor. Venha para Jesus com todo o seu caos, todos os seus vícios, com todas as suas fraquezas e com todos os seus erros. Deus o ama assim como você é. Entretanto, Ele também o ama demais para permitir que você continue o mesmo. Meu amigo, quando você vem para Jesus, Ele se torna o seu "banho". Ele o limpará, e o tornará mais alvo do que a neve! Pule para dentro do banho hoje e permita que Jesus o faça perfeito, justo e santo aos olhos de Deus!

Oração de Hoje

Senhor Jesus, a Tua graça salva o pior de nós. Independentemente de quanto a minha vida esteja caótica, Tu podes transformá-la e torná-la linda. Venho a Ti assim como estou hoje, com todos os meus erros e falhas. Eu Te agradeço porque Tu me fizeste justo com o Teu sangue e porque Tu estás me lavando com a água da Tua Palavra e me amando mais uma vez para me restaurar. O Teu favor imerecido sobre a minha vida removerá cada vício e doença, transformará o meu lamento em alegria e encherá o meu coração com toda a Tua poderosa paz!

Pensamento de Hoje

*Ninguém se limpa antes de tomar banho. Então irei a Jesus —
o banho — assim como estou.*

Reflexão de Hoje sobre o Favor

DIA 61

Conquistado pela Graça de Deus

Versículo de Hoje

Porque o pecado não terá domínio sobre vós; pois não estais debaixo da lei, e sim da graça. — Romanos 6:14

Uma querida irmã da minha igreja escreveu para compartilhar como o Senhor havia transformado completamente a sua vida. Ela costumava frequentar casas noturnas e bares regularmente, tinha uma linguagem vulgar, tomava drogas, ficava fora de casa, e se envolvia em atividades ilegais como roubo e venda de *software* pirata.

É vital que você receba o dom da ausência de condenação porque isso lhe dará poder para vencer as suas fraquezas e os seus hábitos e vícios destrutivos.

Durante esse período, ela geralmente ficava deprimida e tinha inclusive pensamentos de suicídio. Por fim, chegou ao fundo do poço sentindo que tudo em sua vida dera errado. Ela mal conseguia se convencer a continuar vivendo. Foi durante esse período que sua irmã levou-a à igreja New Creation e ela foi impactada com o evangelho da graça. Este é o seu testemunho:

*Fui apresentada à graça pela primeira vez e **aprendi que Deus não despreza e nem condena delinquentes como eu**... Fiquei impressionada ao continuar compreendendo o Cristianismo a partir de uma nova luz pela primeira vez.*

Para encurtar uma longa história, desafiei o Senhor um dia a provar Sua existência e o Seu amor por mim e Ele fez exatamente isto. No prazo de duas semanas, eu havia sido completamente conquistada por Jesus e alegremente o aceitei em minha vida. Como as pessoas sempre dizem, o resto é história.

Eu gostaria de testemunhar que foi a GRAÇA e não a LEI que atraiu uma grande pecadora como eu a Deus. Com o tempo, o Senhor me transformou de uma delinquente em uma dama que é extremamente apaixonada por Jesus! Ele não modificou meu comportamento externo imediatamente quando eu ainda era um bebê em Cristo. Em vez disso, **Ele derramou o Seu amor e a Sua graça abundantemente sobre a minha vida, o que com o tempo me transformou de dentro para fora.** *A graça pode não produzir resultados imediatos, mas os frutos são certos e permanentes!*

Exatamente quando os membros da minha família haviam desistido de ter esperança em mim, meu Papai Deus fez um milagre transformando-me sem esforço a partir do meu interior em uma nova pessoa! Todos à minha volta se maravilharam com a transformação ao verem a obra de Deus em minha vida. Sou um testemunho ambulante da existência e da graça de Deus! Aleluia!

Glória a Deus, este não é um testemunho tremendo? Essa irmã foi resgatada no ponto mais baixo de sua vida porque entendeu uma verdade poderosa — Deus não a despreza nem a condena. Ele a AMA e foi esta revelação do Seu amor e graça (favor imerecido) que transformou a sua vida completamente!

Amado, é vital que você receba o dom da ausência de condenação, pois é isso que lhe dará o poder para vencer suas fraquezas e seus hábitos e vícios destrutivos. Se você acreditasse que Deus o condena pelas suas falhas, você correria para Ele em busca de ajuda?

Veja como Jesus deu a uma pecadora o poder para não pecar mais. Ele defendeu a mulher que foi surpreendida em adultério. Ele olhou suavemente dentro dos seus olhos e lhe perguntou: "Mulher, onde estão aqueles teus acusadores? Ninguém te condenou? Respondeu ela: Ninguém, Senhor! Então, lhe disse Jesus: Nem eu tampouco te condeno; vai e não peques mais" (João 8:10-11).

Veja, os Dez Mandamentos, em toda a sua santidade original não podem torná-lo santo e nem podem pôr um fim ao pecado. O poder para impedir que o pecado destrua sua vida vem de receber o dom da ausência de condenação de Jesus. O seu Salvador, que cumpriu a lei em seu favor, lhe diz: "Onde estão aqueles que o condenam? NEM EU TAMPOUCO O CONDENO. Agora, vá e não peques mais." Isso é graça, meu amigo. É o Seu favor imerecido! A lei diz que Deus somente não o condenará se você parar de pecar. Entretanto, a Graça diz: "Eu levei a sua condenação na cruz. Agora, você pode ir e não pecar mais."

Romanos 6:14 diz: "**Porque o pecado não terá domínio sobre vós; pois não estais debaixo da lei, e sim da graça [favor imerecido].**" Se você ainda está lutando com o pecado, é hora de parar de depender da lei. Caia sobre o Seu favor imerecido como aconteceu com o apóstolo Paulo. Quando você souber que Cristo o tornou justo independentemente das suas obras, e que Ele o aperfeiçoou pelo Seu favor imerecido, isso lhe dará a capacidade de vencer toda tentação, hábito e vício pecaminoso em sua vida!

Agora mesmo, quando você busca o seu Salvador Jesus, Deus o vê como perfeito nele. Ele não o condena pelos seus erros passados, presentes e até futuros porque todos os erros que você cometerá nesta vida já foram pregados na cruz. Você agora está livre para não pecar mais, para ter sucesso e vitória sobre cada pecado e cativeiro em sua vida!

Oração de Hoje

Pai, eu Te agradeço porque tenho a capacidade de vencer toda tentação, hábito e vício pecaminoso em minha vida por causa da Tua abundante graça e do dom da ausência de condenação. Obrigado por me mostrar que é a Tua graça, e não a lei, que me transforma de dentro para fora. Somente pelo Teu favor imerecido e não pelos meus esforços sou transformado de glória em glória. Recebo o Teu dom da ausência de condenação novamente hoje e Te agradeço pela vitória sobre todo pecado e cativeiro em minha vida.

Pensamento de Hoje

Saber que Cristo me tornou justo independentemente das minhas obras me dá a capacidade de vencer toda tentação, hábito e vício pecaminoso em minha vida!

Reflexão de Hoje sobre o Favor

DIA 62

Continue na Graça de Deus

Versículo de Hoje

... Tendo começado no Espírito, estejais, agora, vos aperfeiçoando na carne?
— *Gálatas 3:3*

Como você foi impactado pela primeira vez por Jesus? Foi por meio da lei ou foi a Sua graça em sua vida que tocou o seu coração? Todos nós começamos o nosso relacionamento com o Senhor porque fomos impactados pelo Seu amor e graça. Então vamos continuar nessa graça.

Não comece com a graça e termine com a lei. Não comece com a nova aliança, apenas para voltar para a velha aliança!

Paulo advertiu os Gálatas do fato de voltarem para a lei depois de terem começado na graça. Ele disse: "Admira-me que estejais passando tão depressa daquele que vos chamou na graça de Cristo para outro evangelho, o qual não é outro, senão que há alguns que vos perturbam e querem **perverter o evangelho de Cristo**" (Gálatas 1:6-7). Paulo leva isso muito a sério. Ele chama qualquer evangelho fora do evangelho da graça (favor imerecido de Deus) de **perversão**. Tentar ser **justificado** pelas obras dos Dez Mandamentos é uma perversão do evangelho de Cristo.

Paulo perguntou à igreja da Galácia de forma direta e franca: "... Recebestes o Espírito pelas obras da lei ou pela pregação da fé? Sois assim insensatos que, tendo começado no Espírito, estejais, agora, vos aperfeiçoando na carne [esforço próprio]?" (Gálatas 3:2-3). Paulo estava lhes dizendo: "Vocês começaram crendo na graça de Deus, por que agora estão dependendo das suas obras? Isto é loucura! Vocês deveriam permanecer no Seu favor imerecido!" Estas são palavras fortes ditas por Paulo. Não comece com a graça e termine com a lei. Não comece com a nova aliança, apenas para voltar à velha aliança! Há aqueles que dizem não serem justificados pela lei, mas ao mesmo tempo creem que devem guardar a lei para a santificação. Meu amigo, tanto a justificação quanto a santificação vêm pela nossa fé na obra consumada de Jesus somente.

Quando você está firmado na nova aliança da graça, experimenta uma tremenda sensação de confiança e segurança em Cristo. Quando sua confiança está no favor imerecido de Cristo e não no seu desempenho, você não se sente como se estivesse constantemente entrando e saindo do Seu favor e aceitação.

Infelizmente alguns crentes se colocaram de volta sob a velha aliança sem perceber. Às vezes, sentem que Deus está do seu lado, mas outras vezes, sentem que Deus está longe deles. Às vezes sentem que Deus está satisfeito com eles, mas outras vezes, sentem que Deus está irado com eles. Todos esses sentimentos baseiam-se predominantemente na sua própria avaliação de como tem sido o **seu** próprio desempenho, na maneira como **eles** se sentem consigo mesmos, e não em como Deus os vê. Por não haver nenhuma base bíblica dentro da nova aliança para avaliações desse tipo, eles acabam decidindo arbitrariamente se estão merecendo as bênçãos de Deus e o Seu favor em suas vidas ou não, quando, na verdade, eles realmente têm acesso às bênçãos de Deus o tempo todo, simplesmente por causa de Jesus e da Sua obra consumada na cruz. Hoje, pense, fale e aja sabendo que isso não tem a ver com você ou com as suas obras — tudo tem a ver com Jesus e somente com Jesus, e entre nas bênçãos dele para você!

Oração de Hoje

Pai, eu Te agradeço porque foi a Tua graça que me impactou em primeiro lugar e me transformou para sempre. Ajuda-me a continuar nessa graça, sempre olhando para Jesus e para o que Ele fez por mim. Obrigado porque estou sob a nova aliança, o que significa que Tu estás sempre ao meu lado e a Tua presença e as Tuas bênçãos são minhas para que eu possa desfrutá-las.

Pensamento de Hoje

O meu foco não estará em mim e no que eu fiz, mas em Jesus e no que Ele fez.

Reflexão de Hoje sobre o Favor

DIA 63

A Graça de Deus nos Transforma

Versículo de Hoje

Visto que você é precioso e honrado à minha vista, e porque eu o amo...
— Isaías 43:4, NVI

Você concordaria comigo que um número maior de cristãos hoje conhece mais sobre os Dez Mandamentos do que sobre a nova aliança do favor imerecido de Deus? No que diz respeito a esse assunto, se você andasse pela Times Square na cidade de Nova Iorque e começasse a entrevistar as pessoas aleatoriamente, a maioria delas provavelmente teria ouvido falar sobre os Dez Mandamentos, mas não saberia nada sobre a nova aliança da graça que veio por intermédio de Jesus Cristo. Na verdade, o mundo identifica o Cristianismo com os Dez Mandamentos. Não é triste que o mundo nos conheça pelas leis que são obsoletas e não pelo favor imerecido que Cristo morreu para nos dar?

Quando tiver uma revelação de Jesus e do quanto você é precioso aos Seus olhos, a sua vida será transformada de forma sobrenatural.

Não é de admirar que estejamos perdendo toda uma nova geração de jovens para o mundo! A lei não tem apelo ou atração e a própria Bíblia a chama de obsoleta (Hebreus 8:13). Se continuarmos empurrando os Dez Mandamentos goela abaixo dos nossos jovens, não vá se supreender quando eles se afastarem por causa das formas legalistas do Cristianismo. E o que é mais importante, não esqueça que a força do pecado é a lei. A lei não tem poder para impedir o pecado. A lei não lhes transmitirá sua identidade preciosa em Cristo, que lhes dará a força para se absterem do sexo antes do casamento, que os impedirá de se envolverem com o abuso de drogas e de perderem a sua identidade sexual. Só o sacrifício do próprio Deus na cruz pode lhes dar a sua nova identidade como novas criaturas em Cristo Jesus!

Jovens, quando vocês tiverem uma revelação de Jesus e do quanto são preciosos aos Seus olhos, suas vidas serão transformadas de forma sobrenatural. Vocês deixarão de ser atormentados por pensamentos suicidas. Deixarão de querer se colocar em risco para se "encaixarem" ou para chamar a atenção pela qual tanto anseiam.

Moças, vocês passarão a se ver e a se valorizar de modo diferente à medida que aprenderem a se valorizar da mesma maneira que Jesus as valoriza. Transbordando com o amor perfeito de Jesus por vocês e com a Sua aceitação, vocês não estarão sujeitas à ilusão de que precisam entregar o seu corpo para receberem a aceitação e o amor de algum rapaz. Vocês vão se amar como Jesus as ama!

Rapazes, vocês desenvolverão um autocontrole sobrenatural para administrar seus hormônios em ebulição. Vocês não farão isso pela sua própria força de vontade, mas através do poder de Jesus fluindo através de vocês. Aprenderão a fugir dos desejos sexuais da juventude. Saberão que ser "legal" significa respeitar o sexo oposto, e não se colocarem, com suas namoradas, em situação de risco de contrair doenças sexualmente transmissíveis e de ter a possibilidade de uma gravidez indesejada.

Jovens, quando vocês souberem que Jesus tem um destino tremendo preparado para vocês, o desejo de se envolverem em gangues e em atividades destrutivas como o álcool, o abuso de drogas e a promiscuidade se dissipará no favor imerecido e no amor de Jesus por vocês. De forma sobrenatural, os seus desejos pelas coisas do mundo desaparecerão à medida que forem substituídos pelo desejo por Jesus! Este é o poder da graça (favor imerecido) de Deus e da Sua aceitação incondicional por nós através da cruz. O que a lei não pôde fazer, Deus fez por nós enviando o Seu próprio Filho Jesus Cristo!

Oração de Hoje

Pai, eu Te agradeço porque sou uma nova criatura em Cristo Jesus. Todos os meus pecados foram perdoados. Tu não Te lembras mais deles e me vês justo em Cristo. Eu Te agradeço porque sou precioso aos Teus olhos, profundamente amado por Ti, e porque tens um destino tremendo para mim!

Pensamento de Hoje
Sou profundamente amado por Deus, precioso aos Seus olhos, com um destino tremendo para cumprir!

Reflexão de Hoje sobre o Favor

_____
_____
_____
_____
_____
_____
_____
_____
_____
_____
_____
_____
_____
_____

DIA 64

Transformado pelo Favor de Deus

Versículo de Hoje

... a bondade de Deus é que te conduz ao arrependimento...
— *Romanos 2:4*

Deixe-me compartilhar com você um testemunho de um jovem cuja vida foi maravilhosamente transformada pelo favor imerecido de Deus. Este jovem fumou o seu primeiro cigarro quando tinha apenas nove anos de idade. Aos 14 anos, ele já era um gângster experiente, que vendia e tomava drogas e vendia filmes piratas.

O Cristianismo é um relacionamento íntimo com um Deus amoroso.

Com o dinheiro que ganhava, ele dava roupas caras e refeições sofisticadas para os membros de sua gangue, e até pagava as despesas de transporte para eles se reunirem para as brigas de gangues! Aos 15 anos, a lei o pegou e ele foi mandado para um reformatório de garotos onde percebeu que sua vida precisava de uma reviravolta. E foi quando Deus entrou em cena. Ele disse:

Foi no reformatório que encontrei Deus pela primeira vez, embora eu não soubesse quem era Ele na época. Uma de minhas conselheiras, uma senhora cristã, orou por mim e, pela primeira vez em minha vida, senti que havia "alguém" cuidando de mim. Não pensei muito nisso naquele momento, mas foi quando meu coração e minha perspectiva de vida começaram a mudar.

Comecei a frequentar a New Creation Church (NCC) em setembro de 2005. Um amigo havia me convidado para ir à NCC anteriormente, mas eu havia recusado. Entretanto, um dia aconteceu que dormi demais no trem e perdi o ponto onde devia descer. A plataforma onde desci estava completamente deserta, mas percebi uma sacola plástica deixada em um dos bancos. Olhei para o conteúdo para ver a quem pertencia e notei que dentro dela havia CDs de sermões da NCC!

*Assim, mesmo quando eu não queria ir até a NCC, Deus enviou a igreja até mim! Não foi coincidência. Foi tudo dirigido por Deus! Quando ouvi os CDs em casa por curiosidade, a presença de Deus foi muito real. Experimentei uma tremenda intimidade com Deus. Enquanto ouvia os ensinamentos do Pastor Prince, eu soube que aquele era o Deus em quem eu sempre havia acreditado, **um Deus que me ama independentemente de quem sou ou do que faço!***

Os ensinamentos do Pastor Prince me libertaram e me deram uma força e uma paixão sobrenaturais para fazer a obra de Deus. Não me sinto mais cativo no que se refere a me comunicar com Deus, sabendo que Ele pode me conduzir em todas as situações.

*A mudança mais significativa que experimentei foi a minha transformação interior. Eu costumava ter um péssimo humor, que me envolvia em muitas brigas porque ficava facilmente irritado. **Estar consciente do amor de Deus por mim** me libertou daquilo. Também passei de alguém que fracassava no colegial a uma pessoa que se saía bem o bastante na escola politécnica a fim de reunir os requisitos necessários para uma vaga na universidade.*

Este jovem hoje é uma pessoa confiante, alegre, com um futuro brilhante pela frente. Ele dá palestras em escolas e no reformatório para garotos onde esteve internado para compartilhar a sua jornada com os jovens e para encorajá-los. Sua vida foi transformada de maneira tão incrível que até uma agência do governo o escalou para falar a jovens com problemas. De acordo com o seu testemunho, desde que Jesus entrou em sua vida, ele viu a Sua graça e favor superabundarem. Muitas portas se abriram para ele e sua vida foi realmente enriquecida, com reviravoltas em áreas como trabalho, estudos, família e relacionamentos. Que toda a glória seja dada a Jesus!

É isso que nossos jovens precisam — uma revelação do amor perfeito de Jesus por eles! Há um mundo perdido e moribundo lá fora. Meu amigo, os Dez Mandamentos não podem mais ser a única coisa que os jovens sabem sobre o Cristianismo! Como eles podem deixar de pensar que o Cristianismo não passa de regras, leis e regulamentos sobre o que devem ou não fazer? Como podem deixar de imaginar que Deus é alguém sempre zangado com eles e procurando uma oportunidade para puni-los? Se os jovens da sua comunidade tiverem de vir para Jesus, eles precisarão saber que o Cristianismo é um **relacionamento íntimo** com um Deus amoroso. Assim que souberem disso, arrombarão as portas das igrejas todos os domingos para entrar a fim de ouvir Jesus e a Sua graça sendo pregados!

Amado, oro para que, assim como o jovem cujo testemunho acaba de ler, você continue a permitir que Jesus lhe mostre cada vez mais o Seu perfeito amor por você todos os dias.

Oração de Hoje

Pai, eu Te agradeço porque Tu não me deste um código de regras para seguir, mas um relacionamento íntimo e amoroso contigo. Quero conhecer-Te cada vez mais a cada dia. Mostra-me mais do Teu amor hoje, para que eu possa enfrentar cada desafio com confiança e ousadia.

Pensamento de Hoje
É a graça de Deus que está transformando a minha vida.

Reflexão de Hoje sobre o Favor

___
___
___
___
___
___
___
___

DIA 65

O Amor de Quem é Perfeito?

Versículo de Hoje

Porque Deus amou ao mundo de tal maneira que deu o seu Filho unigênito, para que todo o que nele crê não pereça, mas tenha a vida eterna. — João 3:16

Quando eu era o presidente de um ministério de jovens, costumava pregar mensagens duras e fortes, dizendo aos meus jovens: "Vocês precisam amar a Deus! Precisam amar o Senhor com todo o seu coração, com toda a sua mente e com toda a sua alma!" Durante todo aquele tempo, quando eu estava pregando essa mensagem aos jovens, eu me perguntava: "Como é que eu faço isto?" Eu olhava para mim mesmo e sondava o meu coração, a minha mente e a minha alma — será que eu realmente amava o Senhor de uma forma tão perfeita? Como eu podia esperar que os jovens a quem pregava amassem o Senhor daquela maneira sabendo que eu mesmo havia falhado? Naquela época, eu não estava firmado na nova aliança da graça ainda. Não sabia que pregando daquela maneira, estava na verdade colocando todos aqueles jovens sob a lei porque a soma total da lei é amar a Deus de todo o seu coração, de toda a sua alma, com toda a sua mente e com toda a sua força (Mateus 22:37-40; Marcos 12:29-30).

Quando está transbordando do amor de Deus, você cumpre a lei sem precisar tentar se esforçar.

Deixe-me perguntar-lhe algo: alguém já foi capaz de amar o Senhor com todo o seu coração, com toda a sua mente e com toda a sua alma? Ninguém. Nem uma única pessoa foi capaz de fazer isso. Deus sabia o tempo todo que sob a lei, ninguém poderia amá-lo tão perfeitamente. Então, sabe o que Ele fez? A Bíblia diz: "Porque Deus amou o mundo de tal maneira que deu o seu Filho unigênito..." Amo esta expressão "de tal maneira". Ela fala da intensidade com a qual Deus nos ama.

Quando Deus enviou Jesus, Ele estava efetivamente nos dizendo: "Sei que vocês não podem me amar perfeitamente, então olhem para mim agora. Eu vou amá-los com todo o Meu coração, com toda a Minha alma, com toda a Minha mente e com toda a Minha força." E Ele estendeu os braços e morreu por nós. É isso que a Bíblia diz sobre o que Jesus fez na cruz: "Dificilmente, alguém morreria por um justo; pois poderá ser que pelo bom alguém se anime a morrer. **Mas Deus prova o seu próprio amor para conosco** pelo fato de ter Cristo morrido por nós, sendo nós ainda pecadores. Logo, muito mais agora, sendo justificados pelo seu sangue, seremos por ele salvos da ira" (Romanos 5:7-9).

Meu amigo, a cruz não é uma demonstração do nosso perfeito amor e devoção a Deus. A cruz é a demonstração de Deus do **Seu** perfeito amor e da **Sua** perfeita graça (favor imerecido) para conosco, pois foi enquanto ainda éramos pecadores que Jesus morreu por nós. Ele não morreu por você e por mim por causa do nosso perfeito amor por Deus. Ele morreu por você e por mim por causa do SEU perfeito amor por nós! Deixe-me lhe dar a definição da Bíblia de amor para deixar isso ainda mais claro para você — "Nisto consiste o amor: **não em que nós tenhamos amado a Deus, mas em que ele nos amou** e enviou o seu Filho como propiciação pelos nossos pecados" (1 João 4:10). Amado, esta é a ênfase da nova aliança da graça (favor imerecido) — o amor DELE por nós, e não o nosso amor por Ele!

À medida que levantamos uma nova geração de crentes, que possamos levantar uma geração que seja impactada pelo favor imerecido de Deus e que se glorie no amor dele por nós. Quando recebemos o Seu amor por nós e começamos a crer que somos os Seus amados, veja o resultado que 1 João 4:11 declara: "Amados, se Deus de tal maneira nos amou, devemos nós também amar uns aos outros." Observe que o amor de uns pelos outros vem depois da nossa experiência com o Seu amor por nós! Ele tem origem a partir de um transbordamento. Você não pode amar os outros quando não foi primeiro cheio do Seu amor. E quando estiver transbordando do Seu amor, você cumprirá a lei sem esforço, sem precisar tentar, porque a Palavra de Deus nos diz: "O amor não pratica o mal contra o próximo; de sorte que

o cumprimento da lei é o amor" (Romanos 13:10). Entre neste rio hoje. Mude a qualidade dos seus relacionamentos crendo e sendo consciente do fato de que você é o Seu amado!

Oração de Hoje

Pai, eu sei que nunca poderei Te amar perfeitamente com todo o meu coração, com toda a minha alma e com toda a minha força. Então eu Te agradeço porque Tu me amas todos os dias com todo o Teu coração, com toda a Tua alma e com toda a Tua força. Sempre que vejo a cruz, vejo o TEU PERFEITO amor por mim! Enche-me com uma revelação maior do Teu amor por mim até que eu transborde dele, para tocar e impactar outros.

Pensamento de Hoje

Amar os outros acontece naturalmente quando sei que sou muito amado por Deus.

Reflexão de Hoje sobre o Favor

_____
_____
_____
_____
_____
_____
_____
_____

DIA 66

Você é um Herdeiro do Mundo!

Versículo de Hoje

Cristo nos resgatou da maldição da lei, fazendo-se ele próprio maldição em nosso lugar (porque está escrito: Maldito todo aquele que for pendurado em madeiro), para que a bênção de Abraão chegasse aos gentios, em Jesus Cristo, a fim de que recebêssemos, pela fé, o Espírito prometido.
— *Gálatas 3:13,14*

As bênçãos de Deus fazem parte da nossa herança na nova aliança da graça, que Jesus morreu para nos dar. A Palavra de Deus nos diz que "Cristo nos resgatou da maldição da lei, fazendo-se ele próprio maldição em nosso lugar... para que **a bênção de Abraão** chegasse aos gentios, em Jesus Cristo, a fim de que recebêssemos, pela fé, o Espírito prometido." Não é interessante que o Senhor seja tão específico em mencionar que Cristo se tornou maldição por nós na cruz, para que possamos experimentar e desfrutar a bênção de Abraão? Ele não quer que simplesmente experimentemos qualquer tipo de bênção. Ele quer que experimentemos **a bênção de Abraão**. Creio que cabe a nós então descobrir o que é "a bênção de Abraão" e quem pode recebê-la.

Todo crente em Cristo é um herdeiro. "Herdeiro" fala de uma herança que é sua não por causa do que você faz, mas por causa de a quem você pertence.

A Bíblia nos diz que: "Se sois de Cristo, também sois descendentes de Abraão e herdeiros segundo a promessa" (Gálatas 3:29). Você é de Cristo? Você pertence a Jesus? Então isso faz de você um herdeiro **de acordo com a promessa**. Todo crente em Cristo é um herdeiro. Sempre que você ouve a palavra "herdeiro", ela fala de algo bom. Ela fala de uma herança pela qual você não trabalhou, uma herança que é sua não por causa do que você faz, mas por causa de a quem você pertence. Neste caso, como um crente da nova aliança em Jesus, você pertence a Ele e possui uma herança em Cristo comprada pelo sangue como a semente de Abraão. Você, amado, é um herdeiro de acordo com A Promessa!

Ora, há muitas promessas na Bíblia, mas qual é A Promessa que Deus fez a Abraão? Não podemos reivindicar essa promessa se não soubermos qual é ela. Precisamos ir à Palavra (usar a Bíblia para interpretar a Bíblia) para estabelecer qual é a promessa. E encontramos a resposta em Romanos 4:13 — "Não foi por intermédio da lei que a Abraão ou à sua descendência coube **a promessa** de ser **herdeiro do mundo**, e sim mediante a justiça da fé."

A promessa feita a Abraão e à sua semente (você e eu) é que ele seria "o herdeiro do mundo"! No texto original grego, a palavra "mundo" aqui é *kosmos*. O seu significado inclui "todo o círculo de dotes, riquezas, vantagens, recompensas e bens terrenos".[1] Ora, é **isso** que você é, um herdeiro de todas essas coisas através da obra consumada de Jesus! Em Cristo, você é um herdeiro do mundo — dos seus dotes, riquezas, vantagens, recompensas e bens. Essa é A Promessa que Deus fez a Abraão e à sua semente. Não peça desculpas por isso. Essa é a sua herança em Cristo!

Oração de Hoje

Pai, eu Te agradeço por ser herdeiro do mundo porque sou a semente de Abraão por meio de Cristo. Tenho uma riqueza tão grande não porque eu tenha feito algo para merecê-la, mas porque Jesus me tornou merecedor através da Sua morte e ressurreição. E uma vez que Jesus morreu para me dar esta maravilhosa herança, não pedirei desculpas por ela, mas esperarei experimentá-la e desfrutá-la!

Pensamento de Hoje

Sou um herdeiro do mundo por meio da obra consumada de Jesus!

Reflexão de Hoje sobre o Favor

DIA 67

Abençoado para Ser Uma Bênção

Versículo de Hoje

De ti farei uma grande nação, e te abençoarei, e te engrandecerei o nome. Sê tu uma bênção! — Gênesis 12:2

O que significa ser um herdeiro do mundo? Vamos dar uma olhada na vida de Abraão para ver o que o Senhor fez por ele. A Palavra de Deus nos diz que Abraão não apenas ficou rico. Ele ficou muito rico.

O sucesso que nós, como crentes da nova aliança, podemos crer em Deus para nos dar é o bom sucesso integral que permeia cada aspecto da nossa vida!

"Bem, Pastor Prince, ser um herdeiro do mundo refere-se a riquezas espirituais".

Espere, não é isso que a Bíblia diz. De acordo com Gênesis 13:2, "Era Abrão muito rico; possuía gado, prata e ouro". Agora, se as bênçãos financeiras não fazem parte das bênçãos do Senhor, então você está me dizendo que o Senhor amaldiçoou Abraão com riquezas? Fico muito feliz por Deus ter definido bem especificamente as riquezas de Abraão. Deus deve ter previsto uma geração de pessoas que argumentariam que Ele é contra o Seu povo ter sucesso financeiro, então disse claramente em Sua Palavra que Abraão era muito rico em gado, prata e ouro. Abraão não era apenas rico espiritualmente. Amado, Deus não é contra possuirmos riquezas, mas Ele é definitivamente contra as riquezas nos possuírem.

O Senhor abençoou Abraão para que ele pudesse ser uma bênção para outros. Ele disse a Abraão: "... te abençoarei... Sê tu uma bênção!" Do mesmo modo, Ele o abençoará financeiramente, para que você possa ser uma bênção para outros. Você não pode ser uma bênção para aqueles que o cercam — os seus entes queridos, a igreja local, sua comunidade e os pobres — se não for abençoado pelo Senhor primeiro.

Agora, você já sabe que apenas as finanças não fazem de você um sucesso. Há muitas pessoas "pobres" no mundo hoje que têm muito dinheiro. Elas podem ter contas bancárias recheadas, mas o coração delas está vazio sem a revelação do amor de Jesus por elas. Você e eu temos algo de Jesus que é muito mais superior. O sucesso que nós, como crentes da nova aliança, podemos crer em Deus para nos dar é o bom sucesso, integral, que permeia cada aspecto da nossa vida!

O que garante o seu sucesso financeiro é quando você sabe que suas bênçãos vêm por intermédio do favor imerecido de Jesus. Quando você tem essa revelação, já não se preocupa mais em ter dinheiro, pois está preocupado com o Senhor. O mais impressionante é que você perceberá que quanto mais ocupado está com Jesus, mais dinheiro vem atrás de você! Agora, por que é assim? É simplesmente porque quando você busca em primeiro lugar o reino de Deus, e coloca Jesus, a Sua justiça (não a sua própria justiça), a Sua alegria e a Sua paz como a sua prioridade número 1, a Palavra de Deus promete que TODAS as coisas materiais que você necessita lhe serão acrescentadas (Mateus 6:33).

O Senhor sempre lhe dá dinheiro com uma missão e prosperidade com um propósito. Ele o abençoa e quando você é abençoado, pode ser uma bênção para abençoar outros. O evangelho da graça pode ser pregado, igrejas podem ser construídas, vidas preciosas podem ser tocadas, pecadores podem nascer de novo, casamentos podem ser restaurados e corpos físicos podem ser curados quando você lança a Palavra de Jesus juntamente com o seu apoio financeiro.

Não ame o dinheiro e use as pessoas. Use o dinheiro para amar as pessoas! Que esteja definido no seu coração de uma vez por todas que é o desejo de Deus que você seja um sucesso financeiro e tenha mais do que o suficiente para abençoar outros!

Oração de Hoje

Pai, eu Te agradeço porque as Tuas bênçãos para mim incluem prosperidade financeira. Sei que Tu não és contra eu ter dinheiro, mas não queres que o amor ao dinheiro me mantenha cativo. Eu Te peço que me prosperes financeiramente, para que eu possa usar o dinheiro para a obra do Teu reino e para abençoar os necessitados. Guarda-me para ter sucesso financeiro. Ajuda-me a manter os olhos em Jesus — sempre preocupado com Ele e com os Seus propósitos, e nunca me esquecendo de que toda bênção vem pelo Teu favor imerecido.

Pensamento de Hoje

Não ame o dinheiro e use as pessoas. Use o dinheiro para amar as pessoas!

Reflexão de Hoje sobre o Favor

DIA 68

As Suas Bênçãos Incluem Saúde e Renovação da Juventude

Versículo de Hoje

Quem farta de bens a tua velhice, de sorte que a tua mocidade se renova como a da águia. — Salmos 103:5

Ser herdeiro do mundo não significa apenas ter prosperidade financeira. Vamos ver o que mais significa ser herdeiro do mundo. Que outras bênçãos Abraão recebeu? Sabemos que ele e sua esposa Sara eram saudáveis e fortes. O Senhor renovou a juventude deles tão radicalmente que quando Abraão tinha cerca de 100 anos e Sara cerca de 90, ela concebeu Isaque depois de muitos anos de esterilidade.

Você pode confiar no Senhor para renovar sua juventude como Ele fez com Abraão e Sara!

Quando Deus abençoa, as Suas bênçãos incluem fecundidade, que é fertilidade para ter filhos. Ninguém pode argumentar que a renovação da juventude de Abraão e Sara foi meramente espiritual. Isaque é prova de que a renovação que eles tiveram também foi física. Como herdeiro do mundo, o Senhor, da mesma forma, fará com que você seja forte e saudável. Não é possível ser um herdeiro do mundo se você está constantemente fatigado, doente e caído. De jeito nenhum! Deus o fará saudável e o manterá com saúde divina em nome de Jesus!

Há alguns anos, perguntei ao Senhor por que a Bíblia chama toda mulher crente de filha de Sara (1 Pedro 3:6). Houve muitas outras mulheres de fé na Bíblia, como Rute e Ester. Então por que Deus não escolheu se referir às mulheres crentes como filhas de Rute ou filhas de Ester? Então o Senhor me mostrou na Sua Palavra que Sara foi a única mulher na Bíblia que teve sua juventude renovada na velhice. Vemos a evidência da renovação da juventude de Sara quando ela foi perseguida duas vezes por dois reis diferentes que queriam incluí-la em seus haréns.

Você sabia que idade Sara tinha quando o Faraó, o primeiro desses reis, a desejou? Ela tinha aproximadamente 65 anos! Ora, se isto não é evidência bastante para você, sabe então que idade Sara tinha quando Abimeleque, rei de Gerar, a desejou? Ela tinha cerca de 90 anos! Ei, aqueles eram reis *pagãos*. Estou certo de que eles não foram cativados por sua beleza interior ou espiritual. Sara devia ter tido a sua juventude física renovada para que aqueles reis a desejassem na sua velhice. Senhoras, estão entendendo isto? O Senhor as chama de filhas de Sara. Vocês podem confiar no Senhor para renovar a sua juventude como Ele fez com Sara!

A Palavra de Deus promete uma renovação da sua juventude e força. Estas são duas passagens da Bíblia que quero que você leia por si mesmo. O Salmo 103:1-5 diz:

> *Bendize, ó minha alma, ao SENHOR, e tudo o que há em mim bendiga ao seu santo nome. Bendize, ó minha alma, ao SENHOR, e não te esqueças de nem um só de seus benefícios. Ele é quem perdoa todas as tuas iniquidades; quem sara todas as tuas enfermidades; quem da cova redime a tua vida e te coroa de graça e misericórdia; quem farta de bens a tua velhice, de sorte que* **a tua mocidade se renova como a da águia.**

E Isaías 40:31 promete:

> *Mas os que esperam no SENHOR renovam as suas forças, sobem com asas como águias, correm e não se cansam, caminham e não se fatigam.*

Como no caso de Sara, podemos experimentar uma renovação literal do nosso corpo físico. Vamos crer em Deus para recebermos essa renovação física da nossa juventude, e que depois disso, teremos um corpo jovem, mas uma mente sábia e experiente. Ora, essa é uma poderosa combinação e o tipo de renovação que Deus quer nos dar.

Meu amigo, Deus quer que você seja forte e saudável. Não é Seu plano que você esteja doente. Doenças, vírus e enfermidades não procedem dele, e Ele certamente não colocaria doenças em você para lhe ensinar uma lição, assim como você não colocaria doenças em seus filhos para lhes ensinar uma lição! Que fique bem claro para você o seguinte: Deus não quer e não vai discipliná-lo com doenças, acidentes e enfermidades. Estamos do mesmo lado dos médicos, combatendo a mesma batalha contra a doença.

Amado, é muito importante você entender bem essa doutrina para que possa crer corretamente. Que esperança existe e como você pode ter uma expectativa confiante de ser curado se pensa erroneamente que seu estado procede do Senhor? É hora de você parar de ser enganado por ensinamentos errados. Basta olhar o ministério de Jesus para ver o coração de Deus por você. Veja os quatro evangelhos. O que acontecia todas as vezes que Jesus entrava em contato com uma pessoa doente? A pessoa era curada! Você nunca verá Jesus indo até alguém perfeitamente saudável e dizendo: "Quero ensinar-lhe uma lição sobre humildade e paciência. Agora, receba esta lepra!" De modo algum! No entanto, é basicamente isso que algumas pessoas estão dizendo sobre o nosso Senhor hoje.

Agora, diga-me, o que acontecia todas as vezes que Jesus percebia haver alguma falta? Quando o garotinho levou os seus cinco pães e dois peixinhos até Jesus, Ele os devorou e disse: "Estou lhe ensinando uma lição sobre pobreza"? É claro que não! Jesus pegou os cinco pães e dois peixinhos, multiplicou-os e alimentou mais de cinco mil pessoas, restando ainda 12 cestos cheios de sobras! (João 6:8-13) Este é o meu Jesus! Ele não alimentou as multidões apenas com comida suficiente. Ele as abençoou com comida mais do que suficiente. Ele é o Deus do mais que o suficiente e esse é o Seu estilo. Do mesmo modo, Jesus quer abençoá-lo com mais do que o suficiente, para que você possa ser uma bênção para outros!

Oração de Hoje

Pai, obrigado por todas as bênçãos de provisão, saúde, força e renovação da saúde que posso ter por causa da obra consumada de Jesus na cruz. Hoje, enquanto olho para Ti e espero em Ti, minha juventude e força são renovadas, para que eu possa subir com asas como as águias. Quero correr e não me cansar, andar e não me fatigar. Concede-me boa saúde todos os dias da minha vida. Quero glorificar-Te no meu corpo, desfrutar tudo com que Tu tens me abençoado e ser capaz de cumprir todos os Teus planos e propósitos para mim!

Pensamento de Hoje

O que Deus fez por Abraão e Sara — renovação da juventude — Deus pode fazer por mim também!

Reflexão de Hoje sobre o Favor

DIA 69

Proximidade de Deus e Proteção no Amado

Versículo de Hoje

Habitarás na terra de Gósen e estarás perto de mim, tu, teus filhos, os filhos de teus filhos, os teus rebanhos, o teu gado e tudo quanto tens. Aí te sustentarei, porque ainda haverá cinco anos de fome; para que não te empobreças, tu e tua casa e tudo o que tens. — Gênesis 45:10,11

Na história de José no Antigo Testamento, depois que José se revelou a seus irmãos, ele lhes diz para voltarem para seu pai e lhe dizer: "... Desce a mim, não te demores. Habitarás na terra de **Gósen** e estarás **perto de mim**, tu, teus filhos, os filhos de teus filhos, os teus rebanhos, o teu gado e tudo quanto tens. Aí te sustentarei, porque ainda haverá cinco anos de fome; para que não te empobreças, tu e tua casa e tudo o que tens" (Gênesis 45:9-10). O nome Gósen significa "aproximar-se".[1] Deus quer que você fique em "Gósen", que é um lugar de proximidade dele, e não há lugar mais próximo dele do que estar no Amado. O coração de amor de Deus não está satisfeito apenas em retirar os seus pecados. Não, Ele quer mais. Ele quer que você esteja na Sua presença. Ele quer que você esteja no lugar onde Ele pode derramar o amor abundante do Seu coração sobre você!

Lembre-se de que como filho amado de Deus, você está no mundo, mas não pertence ao mundo.

Quando você se aproxima de Jesus, veja o que acontece. José diz a seus irmãos para também dizerem a seu pai: "**Ali te sustentarei,** porque ainda haverá cinco anos de fome, para que não te empobreças, tu e tua casa e tudo o que tens." Quando você se aproxima do seu José celestial, Ele suprirá as suas necessidades e a dos seus entes queridos. Em meio à fome financeira no mundo, em meio ao aumento do preço do combustível e dos preços dos alimentos, não se desespere. Aproxime-se de Jesus, porque ali em "Gósen", naquele lugar de proximidade, Ele suprirá as suas necessidades e as da sua família. O seu Deus deve suprir todas as suas necessidades de acordo com as SUAS riquezas (não de acordo com a sua conta bancária ou com a situação econômica do mundo) em glória por Cristo Jesus (Filipenses 4:19)!

Isso não é tudo, meu amigo. Outra bênção que você pode desfrutar quando você está no Amado é a proteção divina. Nos últimos anos, novos surtos de vírus mortais têm estado nas manchetes. Mas seja qual for o vírus, a gripe aviária ou a gripe suína, ou mesmo alguma outra praga nova, você pode reivindicar com segurança o Salmo 91 sobre a sua vida. Pode declarar: "Mil cairão ao meu lado, e dez mil à minha direita, mas eu, o Amado de Deus, não serei atingido" (Salmos 91:7).

Quando houve pragas e pestes em todo o Egito porque Faraó se recusou a deixar o povo de Deus ir, veja o que Deus disse sobre os filhos de Israel: "... **Separarei** a terra de Gósen, em que habita o meu povo, para que nela não haja enxames de moscas, e saibas que eu sou o SENHOR no meio desta terra. Farei distinção entre o meu povo e o teu povo" (Êxodo 8:22-23). Há uma diferença entre o povo amado de Deus e o povo do mundo. Embora o Egito tenha sido infectado com enxames de moscas e outras pestes, os filhos de Israel estavam seguros na terra de Gósen, completamente intocados pelos problemas!

Então, ainda que haja coisas ruins acontecendo no mundo hoje, lembre-se de que como filho amado de Deus, você está **no** mundo, mas **não pertence ao** mundo (João 17:11, 16). Nenhuma praga, nenhum mal e nenhum perigo pode se aproximar de você e do lugar da sua habitação pois você está seguro no lugar secreto do Altíssimo. Assim como os filhos de Israel foram mantidos em segurança e protegidos em Gósen, você e eu, a quem Deus chama de Seus amados, também seremos!

Oração de Hoje

Pai, eu Te agradeço porque Tu protegeste, livraste e supriste a minha família e a mim porque estou em Cristo, o Teu Amado. Eu Te agradeço por Jesus e pelo Teu favor imerecido, e por fazer a diferença entre o Teu povo e o povo do mundo. Hoje, enquanto exerço as minhas atividades, não temerei nenhum mal porque sou o Teu filho amado que desfruta a proteção e a provisão divinas.

Pensamento de Hoje
Sou diferente das pessoas do mundo — tenho um Deus que cuida de mim!

Reflexão de Hoje sobre o Favor

DIA 70

O Medo Rouba de Você a Sua Herança em Cristo

Versículo de Hoje

Não temas, porque eu sou contigo; não te assombres, porque eu sou o teu Deus; eu te fortaleço, e te ajudo, e te sustento com minha destra fiel.
— Isaías 41:10

Vamos ver Josué 1, que relata um ponto crítico na história de Israel, para ver o que podemos aprender a respeito de ter o "bom sucesso" que Deus prometeu a Josué. Josué foi indicado como o novo líder de Israel depois da morte de Moisés, e ele deveria levar o povo de Deus para a Terra Prometida. Esta era uma responsabilidade gigantesca. Quarenta anos antes disso, os filhos de Israel estavam a ponto de entrar na Terra Prometida. Mas porque se recusaram a crer nas promessas de Deus para eles, aquela geração passou 40 anos perambulando pelo deserto.

Não temos de lutar e nos esforçar para sermos abençoados. O bom sucesso para nós hoje é desfrutar os frutos e o trabalho de Outro — Jesus Cristo.

Esta não era a vontade de Deus para eles. Deus queria levá-los para uma terra onde **fluíam** leite e mel. Ele queria lhes dar uma terra cheia de grandes e belas cidades que eles não construíram, de casas cheias de coisas boas que eles não encheram, de poços construídos que eles não cavaram, e de vinhas e oliveiras que eles não plantaram (Deuteronômio 6:10-11). Em outras palavras, Ele queria que eles desfrutassem os frutos e o trabalho de outros — os gigantes que estavam na terra.

Amado, *isso* é o bom sucesso. Este é o tipo de sucesso em que você desfruta de abundância de provisões em todas as áreas da sua vida. Este tipo de sucesso é caracterizado pelo descanso porque a Bíblia diz que nossa terra prometida é o descanso de Deus (Hebreus 3:11). Estamos desfrutando os frutos e o trabalho de Outro — Jesus Cristo. Esse é o tipo de sucesso que Cristo nos deu. Não temos de nos esforçar e lutar para sermos abençoados.

O que fez com que a herança prometida fosse roubada de toda aquela geração? Para responder a essa pergunta, precisamos fazer outra. Quem eram os líderes daquela geração? O Senhor me mostrou que Moisés havia seguido o conselho de seu sogro de indicar "homens capazes, tementes a Deus, homens de verdade, que aborreçam a avareza" (Êxodo 18:21) como seus líderes para ajudá-lo a governar os filhos de Israel.

Os 12 espias que foram enviados para observar Canaã devem ter sido escolhidos deste grupo de líderes. Isso significa que eles eram homens capazes e temiam a Deus. Eram homens de verdade, que aborreciam a avareza. [Por falar nisso, quando Jesus foi tentado pelo diabo no deserto, Ele disse: "Retira-te, Satanás, porque está escrito: Ao Senhor, teu Deus, **adorarás,** e só a ele darás culto" (Mateus 4:10). Jesus estava citando Deuteronômio 6:13, que na verdade diz: "O Senhor, teu Deus, temerás, a ele **servirás**, e, pelo seu nome, jurarás." Então, de acordo com Jesus, **temer a Deus é adorar a Deus**]. Mas apesar de ter todos esses atributos de liderança, nenhum desses espias a quem Moisés indicou entrou na Terra Prometida, com exceção de Josué e Calebe. Nenhum! Por quê?

A resposta é esta: eles não tinham coragem! Podemos ler um relato desta história em Números 13:17-14:9. Moisés enviou 12 espias à Terra Prometida. Somente Josué e Calebe voltaram com um bom relatório da terra, dizendo: "A terra pelo meio da qual passamos a espiar é terra muitíssimo boa. Se o Senhor se agradar de nós, então, nos fará entrar nessa terra e no-la dará, terra que mana leite e mel. Tão-somente não sejais rebeldes contra o Senhor e não temais o povo dessa terra, porquanto, como pão, os podemos devorar; retirou-se deles o seu amparo; o Senhor é conosco; não os temais" (Números 14:7-9). Os outros 10 espias deram um relatório negativo, dizendo: "Não poderemos subir contra aquele povo, porque é mais forte do que nós... e todo o povo que vimos nela são homens de grande estatura. Também vimos ali gigantes... e éramos, aos nossos próprios olhos, como gafanhotos e assim também o éramos aos seus olhos" (Números 13:31-33).

Todos eles viram a mesma terra, os mesmos gigantes, mas houve um contraste absoluto nos relatos que trouxeram! Josué e Calebe tinham um espírito diferente (um espírito de fé, Números 14:24) e focado nas promessas e na bondade de Deus. Mas o restante acovardou-se com medo e viu apenas os gigantes e os desafios da terra. Eles tinham boas qualidades de liderança, mas tudo isso foi negado porque eram **medrosos**. O medo os paralisou! A nação de Israel só podia ir até onde seus líderes podiam levá-los. Pelo fato de seus líderes serem medrosos, as promessas de Deus para as suas vidas foram roubadas de toda aquela geração!

Hoje, por mais difíceis que suas circunstâncias possam parecer, decida focar na bondade de Deus. Decida ver como Cristo pagou o preço para você desfrutar do favor imerecido, paz, proteção e provisão de Deus em todas as áreas da sua vida. O medo não vai paralisá-lo. Em vez disso, você verá a Sua fidelidade e andará em todas as Suas bênçãos!

Oração de Hoje

Pai, fortalece-me hoje e sustenta-me com a Tua destra. Dá-me um maior senso da Tua presença permanente, para que eu não tema, mas seja capaz de enfrentar todos os meus desafios hoje com ousadia e coragem, sabendo que Tu és a minha ajuda, a minha sabedoria e a minha força. Tudo que preciso fazer é andar na vitória que Jesus já conquistou para mim.

Pensamento de Hoje
Não terei medo, pois o Deus Todo-Poderoso está comigo.

Reflexão de Hoje sobre o Favor

DIA 71

Como Jesus é Hoje, Você Também É!

Versículo de Hoje

Nisto é em nós aperfeiçoado o amor, para que, no Dia do Juízo, mantenhamos confiança; pois, segundo ele é, também nós somos neste mundo. — 1 João 4:17

É maravilhoso saber que Deus não mede e nem julga você com base no seu desempenho. Em vez disso, Ele olha para Jesus, e como Jesus é, é assim que Ele o vê. A Sua Palavra declara que "nisto é em nós aperfeiçoado o amor, para que, no Dia do Juízo, mantenhamos confiança, pois, **segundo Ele é, também nós somos neste mundo**".

Como crentes da nova aliança, não precisamos temer o dia do juízo simplesmente porque todos os nossos pecados foram completamente julgados na cruz, e como Jesus é, também nós somos!

Como crentes da nova aliança, não devemos temer o dia do juízo simplesmente porque todos os nossos pecados foram completamente julgados na cruz, e como Jesus é, também nós somos! Observe que a Palavra não diz que "assim como Jesus era na terra, assim somos nós neste mundo". Isso por si só já teria sido assombroso o bastante, porque durante o ministério de Jesus na terra, curas, bênçãos e abundância o seguiam por toda parte. No entanto, não é isso que a Palavra diz. O que ela diz é, "segundo Jesus *é*" (observe o uso do Presente do Indicativo). Em outras palavras, como Ele é **neste instante**, assim somos nós neste mundo.

Que revelação poderosa! Simplesmente considere onde Jesus está hoje. A Bíblia nos diz:

> *... O qual exerceu ele em Cristo, ressuscitando-o dentre os mortos e fazendo-o sentar à sua direita nos lugares celestiais, acima de todo principado, e potestade, e poder, e domínio, e de todo nome que se possa referir não só no presente século, mas também no vindouro. E pôs todas as coisas debaixo dos pés e, para ser o cabeça sobre todas as coisas, o deu à igreja, a qual é o seu corpo, a plenitude daquele que a tudo enche em todas as coisas.*
> — *Efésios 1:20-23*

Jesus está sentado à direita do Pai hoje, em uma posição de poder e autoridade. Se eu fosse você, dedicaria algum tempo para meditar nessa passagem porque a Bíblia nos diz que assim como Jesus é, também somos nós agora mesmo, neste mundo. Medite sobre como Jesus é "acima de todo principado, e potestade, e poder, e domínio, e de todo nome que se possa referir", assim somos nós! Veja isso na Palavra de Deus por si mesmo. Veja a si mesmo como Jesus é, acima de todo principado e potestade, muito acima de toda doença e problema físico, muito acima de todo tipo de medo, depressão e vício, e comece a reinar sobre toda situação negativa em sua vida hoje!

Oração de Hoje

Pai, eu Te agradeço por me colocar na melhor posição que existe no universo — em Cristo, à Tua direita nos lugares celestiais! Portanto, estou acima de todo principado e potestade, poder e domínio, e de todo nome que se possa referir, não apenas nesta era, mas também no porvir! Como Jesus é saudável, vitorioso e bem-sucedido hoje, assim sou eu agora mesmo neste mundo!

Pensamento de Hoje

Estou sentado com Cristo à direita do Pai, acima de todo problema conhecido ou desconhecido!

100 DIAS DE FAVOR

Reflexão de Hoje sobre o Favor

DIA 72

Confie em Deus, Não no Homem ou no Esforço Próprio

Versículo de Hoje

... Maldito o homem que confia no homem, faz da carne mortal o seu braço e aparta o seu coração do SENHOR! — Jeremias 17:5

Hoje, quero mostrar-lhe a diferença entre um homem abençoado e um homem amaldiçoado. A Bíblia é surpreendentemente clara em relação a como você pode ser um homem amaldiçoado e como é uma vida amaldiçoada. A Palavra de Deus também lhe mostra um retrato de um homem abençoado e como você pode ser esse homem.

Vamos começar com a forma com que alguém pode ser um homem amaldiçoado. Jeremias 17:5 nos diz que quando um homem "confia no homem" e não no Senhor, ele se torna um homem amaldiçoado. Confiar no homem também se refere a colocar a confiança nas suas próprias boas obras e esforços, afirmando ter vencido por esforço próprio, decidindo depender de si mesmo e rejeitando o favor imerecido de Deus.

Nunca podemos obter o bom êxito que vem de Deus dependendo do nosso esforço próprio.

O homem que "faz da carne mortal a sua força" também é amaldiçoado. Quando você vê a palavra "carne" na sua Bíblia, ela nem sempre se refere ao corpo físico. Você precisa olhar para o contexto do versículo. Nele, a palavra "carne" pode ser parafraseada como "esforço próprio". Em outras palavras, podemos ler o versículo 5 como "Maldito é o homem que confia no homem e que faz do **esforço próprio** a sua força".

Meu amigo, existem basicamente duas maneiras de se viver esta vida. A primeira é dependendo e confiando inteiramente no favor imerecido do Senhor, enquanto a outra é dependendo do nosso esforço, lutando e batalhando pelo sucesso. Nunca podemos gerar o bom êxito que vem de Deus dependendo do nosso esforço próprio. Por mais que nos esforcemos e batalhemos, não podemos trabalhar pela nossa própria justiça ou alcançar o nosso próprio perdão. Qualquer sucesso que possamos alcançar é apenas parcial.

Por outro lado, o tipo de sucesso de Deus é completo, integral e permeia cada aspecto de nossas vidas — espírito, alma e corpo. A Palavra de Deus diz: "A bênção do Senhor enriquece e não traz dores" (Provérbios 10:22). Deus nunca nos dá sucesso em detrimento do nosso casamento, da nossa família ou da nossa saúde. Como sempre digo aos homens de negócios da minha igreja, não usem toda a sua saúde para correr atrás de riquezas, apenas para gastar toda a sua riqueza mais tarde a fim de terem sua saúde de volta! Que homem está desfrutando da maior prosperidade? Aquele que tem uma conta bancária recheada, mas está arrasado pela doença, ou aquele que talvez não tenha tanto na sua conta bancária, mas está desfrutando de saúde divina?

Olhe à sua volta. Está claro que a verdadeira prosperidade e o bom êxito não podem ser medidos em termos de quanto dinheiro temos em nossas contas bancárias. Com o favor imerecido de Deus, o homem que talvez não tenha tanto a esta altura da vida **terá** bom êxito.

Saúde e integridade no seu corpo físico são parte das bênçãos de Deus. Se você está constantemente sob um tremendo estresse e tem ataques de pânico constantes por causa da natureza do seu trabalho, então eu o encorajaria a dar um passo para trás e buscar o conselho do Senhor. O estresse rouba a sua saúde, ao passo que o sucesso vindo do Senhor faz com que a sua juventude seja renovada.

Quando você depende dos seus esforços, pode lutar por muitos anos e conseguir apenas certa medida de sucesso. Mas os caminhos de Deus são mais altos. Com apenas um instante do Seu favor, você pode experimentar bênçãos antecipadas e promoções que anos de esforço e lutas jamais poderão alcançar.

Veja a vida de José. Ele não era nada além de um humilde prisioneiro. No entanto, uma hora após o seu encontro com Faraó, ele foi promovido ao posto mais alto de todo o império egípcio. Amado, ainda que você esteja caído e destruído (como José estava) a essa altura da sua vida, o Senhor pode promovê-lo de forma sobrenatural em um instante quando você decidir colocar seus olhos nele!

Oração de Hoje

Pai, não quero colocar minha confiança no homem ou no meu esforço próprio. Decido colocar minha confiança em Ti e no Teu favor imerecido. Ajuda-me a depender e ver a Tua bondade e graça para comigo todos os dias, para que eu possa experimentar o Teu bom êxito sem o estresse. Eu Te agradeço porque um instante do Teu favor imerecido pode fazer com que eu experimente bênçãos adiantadas e promoções que anos de esforço e lutas jamais poderão alcançar.

Pensamento de Hoje

Um instante do favor de Deus consegue muito mais do que anos de trabalho duro e estressante.

Reflexão de Hoje sobre o Favor

_____
_____
_____
_____
_____
_____
_____
_____

DIA 73

O Homem Que Está Sob a Graça Vê e Aprecia as Suas Bênçãos

Versículo de Hoje

... Maldito o homem que confia no homem, faz da carne mortal o seu braço... Porque será como o arbusto solitário no deserto e não verá quando vier o bem... — Jeremias 17:5,6

Uma das coisas mais tristes em relação a um homem que confia na sua força e no seu esforço próprio —"que faz da carne mortal o seu braço" — é que ele não pode ver quando o bem cruza o seu caminho.

Como pastor, pude ver, ao longo dos anos, pessoas que não colocam a sua confiança no Senhor no que se refere ao seu casamento, às suas finanças e a outras áreas de fragilidade. Estão decididas a confiar nos seus próprios esforços e tendem a ser bastante arrogantes e frustradas com as pessoas que as cercam. Muitas vezes, ao observar pessoas assim, você percebe que elas não podem ver as coisas boas que estão bem diante do seu nariz. Não valorizam seus cônjuges, negligenciam seus filhos e mesmo quando outras bênçãos cruzam o seu caminho, **elas as deixam passar!**

As pessoas que vivem sob a graça podem realmente desfrutar as bênçãos que as cercam, pois sabem que essas bênçãos são imerecidas!

Por que elas não podem ver o bem quando ele vem? É porque pessoas que confiam nos seus próprios esforços não têm **capacidade** de ver e receber bênçãos do Senhor. Elas só acreditam no "bem" que pode vir pelos seus próprios esforços. É por isso que são orgulhosas. Você provavelmente perceberia que elas não dizem "obrigado" com muita frequência às pessoas ao seu redor.

Elas se sentem como se tivessem direito e merecessem qualquer coisa que recebem. Raramente são gratas ou apreciativas, e é por isso que consideram os seus cônjuges como algo "garantido" em vez de vê-los como uma bênção do Senhor.

Em contrapartida, as pessoas que estão vivendo sob a graça e confiam no favor imerecido do Senhor são constantemente gratas, louvando a Deus e dando graças a Jesus. Elas são gratas e apreciativas para com aqueles que as cercam.

Quando eu ainda era solteiro, fazia uma ideia do tipo de esposa que desejava e levei o meu pedido ao Senhor. Mas sabe de uma coisa? Ele atendeu à minha oração muito além do que pedi e me deu Wendy! Sou realmente grato ao Senhor por minha esposa e sei que isso é um favor imerecido de Jesus. Quando olho para minha filha Jéssica, sei que não mereço uma filha tão linda e, no entanto, o Senhor me deu essa preciosa menina. Como você vê, meu amigo, não fiz nada para merecer, mas o Senhor me abençoou com uma família maravilhosa. Quando você vive sob a graça, pode realmente desfrutar as bênçãos que o cercam, pois sabe que são imerecidas. Veja a família, os amigos e as outras bênçãos que Deus lhe deu hoje. Veja como Ele o abençoou com eles porque Ele o ama. E quando você olhar para eles considerando-os como bênçãos, eles enriquecerão sua vida (Provérbios 10:22).

Oração de Hoje

Pai, eu Te agradeço, pois estou debaixo do Teu favor imerecido. Quando colocares bênçãos no meu caminho, eu irei vê-las, valorizá-las e desfrutá-las. Sei que não mereço qualquer bênção vinda de Ti, mas Tu me abençoas mesmo assim, porque me amas e por causa do que Jesus fez por mim na cruz. Pai, por tudo que Tu tens me abençoado e com o que vais me abençoar, eu Te dou graças, louvor e glória.

Pensamento de Hoje

Todas as bênçãos em minha vida aconteceram por causa do favor imerecido de Deus sobre mim — como posso não ser grato pelo que tenho?

100 DIAS DE FAVOR

Reflexão de Hoje sobre o Favor

DIA 74

O Retrato de Um Homem Abençoado

Versículo de Hoje

Bendito o homem que confia no SENHOR e cuja esperança é o SENHOR. Porque ele é como a árvore plantada junto às águas, que estende as suas raízes para o ribeiro e não receia quando vem o calor, mas a sua folha fica verde; e, no ano de sequidão, não se perturba, nem deixa de dar fruto. — Jeremias 17:7,8

Vamos ver alguns dos retratos que a Bíblia descreve para nós em Jeremias 17. A Palavra de Deus é surpreendente. Deus fala conosco através de retratos e imagens de palavras na Bíblia. Por exemplo, Jeremias 17:5-6 nos mostra o retrato de um homem amaldiçoado — "um arbusto solitário no deserto". Que imagem triste de um homem! Uma pessoa que está sempre confiando em si mesma é como um arbusto seco que parece velho, cansado e abatido.

O homem abençoado não se apercebe dos períodos de calor, mas continua a ser forte e a florescer.

Mas graças a Deus porque a Bíblia não parou na descrição do homem amaldiçoado. Ela segue em frente reproduzindo o belo retrato de um homem abençoado: "Bendito o homem que confia no Senhor e cuja esperança é o Senhor. Porque ele é como a árvore plantada junto às águas, que estende as suas raízes para o ribeiro e não receia quando vem o calor, mas a sua folha fica verde; e, no ano de sequidão, não se perturba, nem deixa de dar fruto". Uau! Eu sei bem qual desses homens prefiro ser. Realmente, um retrato vale mais que mil palavras! Quero que você se veja hoje como essa árvore plantada junto às águas!

Quando eu estava em férias com Wendy nas estonteantes Montanhas Rochosas canadenses, passamos muito tempo apenas perambulando por ali e nos deleitando no esplendor da criação do nosso Pai celestial. Enquanto andávamos ao longo da margem de um rio tranquilo com o qual nos deparamos por acaso, encontramos uma árvore majestosa ancorada junto à margem das águas. O seu tronco era forte e robusto, e seus galhos se estendiam e formavam uma abóbada perfeita acima dela. Em contraste com as outras árvores que estavam mais afastadas do rio, suas folhas tinham um verde refrescante e atraente. Isso porque a árvore era nutrida constantemente pelo rio.

Olhando aquela árvore impressionante e bela, não pude deixar de me lembrar do homem abençoado descrito em Jeremias 17, e lembro-me de dizer comigo mesmo: "Sou como essa árvore, em nome de Jesus!" Quando você depende do Senhor e confia nele, também é como aquela árvore. Jesus fará com que você seja um retrato de força robusta, vitalidade e bom êxito. Enxergue a si mesmo como uma bela árvore plantada junto às águas. A Palavra de Deus diz que mesmo quando vier o calor, você não o temerá!

Você notou uma diferença crucial entre o homem abençoado e o homem amaldiçoado? Enquanto o homem amaldiçoado não pode ver o bem quando ele vem (Jeremias 17:6), o homem abençoado não temerá, mesmo quando o calor vier! Uma versão da Bíblia diz que o homem abençoado "**não verá** quando vier o calor". Isso é impressionante. Significa que o calor vem até mesmo para o homem abençoado, mas ele não se apercebe dos períodos de calor, mas continua a ser forte e a florescer. Ele será como uma árvore cujas folhas continuam a ser verdes. Quando você for como o homem abençoado, você será perene! Isso significa que você desfrutará de saúde, juventude, vitalidade e dinamismo divinos.

Quando você é abençoado, o seu corpo é cheio de vida, uma vez que o Senhor renova a sua juventude e o seu vigor. Sua saúde não falhará, e você não perderá a juventude. Não haverá estresse, medo ou ataques de pânico, porque o homem abençoado "no ano de sequidão, não se perturba". O ano de sequidão fala de uma fome implacável, e na nossa linguagem moderna, não seria diferente da crise financeira global, da crise do crédito de risco, do colapso dos bancos de investimentos globais, dos mercados de ações voláteis e da inflação galopante. Embora essas possam ser más notícias para o mundo, o homem abençoado pode permanecer descansado e não ficar ansioso porque Deus prometeu que mesmo em meio a uma crise, ele não "deixará de dar frutos". Amado, seja o homem abençoado que coloca a sua confiança no Senhor e isso também acontecerá com você!

Oração de Hoje

Pai, por causa do Teu amor incondicional e da Tua graça para comigo, sou um homem abençoado que é como uma árvore perene plantada junto às águas. Eu Te agradeço porque quando o calor vier, não terei medo nem ficarei ansioso. Nem sequer o perceberei porque estou coberto pelo Teu favor e amorosa bondade. Tu me protegerás, suprirás minhas necessidades, me manterás forte e saudável, e farás com que eu permaneça frutífero!

Pensamento de Hoje

Sou como a árvore plantada junto às águas — próspera, forte e frutífera!

Reflexão de Hoje sobre o Favor

DIA 75

Lugar Certo, Hora Certa

❖

Versículo de Hoje

... não é dos ligeiros o prêmio, nem dos valentes, a vitória, nem tampouco dos sábios, o pão, nem ainda dos prudentes, a riqueza, nem dos inteligentes, o favor; porém tudo depende do tempo e do acaso. — Eclesiastes 9:11.

Amado, nunca se esqueça de que "não é dos ligeiros o prêmio, nem dos valentes a vitória... porém **tudo [que acontece] depende do tempo e do acaso**". Deus quer que você tenha a noção do tempo certo — o Seu tempo, e nada é deixado ao acaso porque você é filho de Deus. O Salmo 37:23 diz: "O Senhor firma os passos do homem bom." Você é esse "homem bom" porque você é a justiça de Deus em Cristo.

> **Dependa de Deus para fazer com que você esteja no lugar certo na hora certa, para que as coisas certas aconteçam na sua vida!**

Agora, observe a palavra "acontece". No texto original em hebraico é a palavra *qarah,* que significa "encontrar, deparar-se (sem programação prévia), estar presente por acaso".[1] Resumindo, significa "acontecer a coisa certa". Meu amigo, você pode depender de Deus para fazer com que você esteja no lugar certo na hora certa, para que as coisas certas aconteçam na sua vida! Tenho certeza de que você concordaria que estar no lugar certo, na hora certa é uma tremenda bênção. Você com certeza não quer estar no lugar errado na hora errada. Isso pode levar a resultados desastrosos.

Mas ainda que você pense que está agora no lugar errado na hora errada, como quando você fica preso em um engarrafamento de trânsito ou quando perde o trem, não fique ansioso demais com isso. Um atraso pode acontecer e ser resultado da proteção de Deus contra um acidente mais adiante. Às vezes, um atraso de apenas alguns segundos pode representar a diferença entre a vida e a morte!

Em 2001, um irmão de minha igreja escreveu para compartilhar que o escritório de seu filho ficava nas torres gêmeas em Nova Iorque. Em uma determinada manhã, o despertador de seu filho não tocou e ele acabou perdendo seu trem costumeiro para o trabalho, chegando atrasado. Se tivesse chegado na hora certa naquela manhã, estaria no escritório quando os aviões atingiram as torres durante o devastador ataque terrorista em 11 de setembro.

Em 2003, outro irmão da minha igreja estava em Jacarta, na Indonésia, em uma viagem de negócios. Ele havia se hospedado no Marriott Hotel e estava no saguão quando uma bomba explodiu do lado de fora do hotel. A bomba explodiu saguão adentro e ele viu um corpo passando por ele voando enquanto a explosão ensurdecedora ecoava à sua volta.

Depois que a poeira baixou, ele viu sangue espalhado sobre ele e entulho espalhado por toda parte, mas o mais surpreendente era que ele estava ileso. No exato instante em que a bomba explodiu, **aconteceu** de ele estar passando por trás de uma coluna e ela o protegeu do impacto da explosão. Imagine o que teria acontecido se ele tivesse chegado até aquela coluna apenas alguns segundos antes ou depois de a bomba explodir!

Por mais inteligente que você seja, por mais opulentas que sejam suas contas de investimento ou por mais prestígio que o nome da sua família tenha, não há como você saber antecipadamente quando se posicionar atrás de uma coluna enquanto uma bomba da qual você não tem conhecimento explode perto de você. Só Deus pode colocá-lo no lugar certo na hora certa. Foi o Senhor quem colocou aquele irmão atrás da coluna naquele preciso instante. Seus passos foram literalmente firmados e ordenados pelo Senhor. Toda a glória seja dada a Ele! Jesus é a nossa verdadeira coluna de proteção!

A fidelidade de Deus em proteger Seus amados colocando-os no lugar certo na hora certa foi demonstrada ainda mais recentemente. Duas imensas explosões sacudiram Jacarta, na Indonésia, novamente, na manhã de 17 de julho de 2009, e desta vez tanto o Marriott Hotel quanto o Ritz-Carlton Hotel foram alvos de ataques terroristas.

Uma senhora da nossa igreja estava no *lobby* do Ritz-Carlton quando uma das bombas foi detonada no restaurante próximo onde os hóspedes estavam tomando o café da manhã. A força da explosão fez com que cacos de vidro passassem voando por ela, rasgando a carne de outros hóspedes que estavam de pé diante dela. Surpreendentemente, ela ficou completamente ilesa!

Ela contou ter planejado tomar café naquele mesmo restaurante na hora da explosão, o que certamente a teria colocado no lugar errado na hora errada. Se tivesse feito isso, poderia ter sido morta por aquela bomba no restaurante. Entretanto, ela contou que ficou envolvida com a leitura de alguns devocionais do meu livro *Destinados a Reinar* enquanto passava um tempo com o Senhor em seu quarto de hotel. O "atraso" que ela teve lendo meu livro a manteve longe do restaurante e salvou sua vida! Glórias a Jesus!

Meu amigo, nada acontece por acaso — o Senhor sabe como colocá-lo no lugar certo e na hora certa! Você pode depender de Jesus para que as coisas certas aconteçam. Todas elas vêm por meio do Seu favor imerecido. Na nova aliança da graça, a Bíblia diz que o próprio Senhor escreve as Suas leis no seu coração (Hebreus 8:10). Ele pode falar com você e guiá-lo em tudo que você fizer. Permita que Ele o conduza sobrenaturalmente!

Oração de Hoje

Pai, eu Te agradeço pois os meus passos são firmados por Ti porque sou justo em Cristo. E porque não há detalhe nos meus planos ou na minha vida que escape à Tua atenção, posso confiar que me posicionarás no lugar certo na hora certa, a salvo de qualquer perigo e preparado para o bom êxito. Pai, eu espero em Ti e no Teu favor imerecido para proteger a mim e à minha família de todo mal e para tornar nosso caminho próspero.

Pensamento de Hoje
Os meus passos são firmados pelo Senhor porque sou justo nele.

Reflexão de Hoje sobre o Favor

DIA 76

Ore por *Qarah* Hoje

Versículo de Hoje

E disse consigo: "Ó Senhor, Deus de meu senhor Abraão, rogo-te que me acudas hoje e uses de bondade para com o meu senhor Abraão!"
— Gênesis 24:12

Amado, quero lhe mostrar como você pode orar e experimentar o posicionamento divino de Deus para ter um bom êxito hoje.

Há um princípio para se interpretar a Palavra de Deus conhecido como "o princípio da primeira menção". Todas as vezes que uma palavra é mencionada pela primeira vez na Bíblia, em geral há um significado especial e uma lição que podemos aprender. Vamos dar uma olhada na primeira aparição da palavra *qarah*.[1] Ela está em Gênesis 24, quando Abraão enviou seu servo, cujo nome não é mencionado,[2] com a tarefa de procurar uma noiva para Isaque, seu filho.

Precisamos que o Senhor nos dê *qarah* todos os dias.

O servo sem nome chegou, à noite, a um poço do lado de fora da cidade de Naor e decidiu parar ali. Havia tantas jovens reunidas para tirar água naquele lugar que ele não sabia quem seria a mulher certa para Isaque. Então o servo sem nome fez a seguinte oração: "Ó Senhor, Deus de meu senhor Abraão, rogo-te que me acudas hoje e uses de bondade para com meu senhor Abraão!"

Em algumas versões está escrito: "Dá-me êxito neste dia". A palavra "êxito" aqui é a palavra hebraica *qarah*, e nesse texto ela aparece pela primeira vez na Bíblia. Basicamente, o servo orou: "Dá-me *qarah* no dia de hoje". É desnecessário dizer que com o *qarah* do Senhor ou o posicionamento para que acontecessem as coisas certas, o servo encontrou uma bela e virtuosa mulher chamada Rebeca, que se tornou a noiva de Isaque.

Precisamos que o Senhor nos dê *qarah* todos os dias. Eu o encorajo a fazer a oração que aquele servo anônimo fez. Diga ao Senhor: "Dá-me êxito — *qarah* — no dia de hoje", e dependa do Seu favor imerecido para fazer com que você esteja no lugar certo na hora certa!

Oração de Hoje

Pai, mostra-me bondade e dá-me qarah — êxito — hoje. Sejam quais forem as tarefas, compromissos ou atribuições que eu precise cumprir hoje, peço que Tu dirijas os meus passos e me coloques no lugar certo na hora certa, para que eu possa realizar tudo que preciso fazer com facilidade e experimente o Teu bom êxito.

Pensamento de Hoje

O sucesso nos meus empreendimentos depende do Senhor que me posiciona no lugar certo na hora certa.

Reflexão de Hoje sobre o Favor

_____
_____
_____
_____
_____
_____
_____
_____

DIA 77

Tenha Confiança no Favor Imerecido de Jesus

Versículo de Hoje

Ela se foi, chegou ao campo e apanhava após os segadores; por casualidade entrou na parte que pertencia a Boaz, o qual era da família de Elimeleque. — Rute 2:3

Na Bíblia há uma linda história de uma mulher moabita chamada Rute. Na dimensão natural, Rute tinha tudo contra ela. Era uma pobre viúva, moabita e uma mulher gentia vivendo na nação judaica de Israel. Mas mesmo depois que seu marido morreu, Rute permaneceu com sua sogra Noemi. Ela deixou sua família para seguir Noemi de volta a Belém, e fez do Deus de Noemi — o Deus de Abraão, Isaque e Jacó — o seu Deus.

Tenha confiança no favor imerecido de Jesus e Ele fará com que você esteja posicionado no lugar certo na hora certa para obter êxito.

Ora, por causa de sua pobreza, Noemi e Rute não podiam se dar ao luxo de comprar grãos, assim Rute precisou ir ao campo para realizar a tarefa subalterna de recolher o que os ceifadores tivessem deixado para trás. Quero que você observe que Rute naquele momento estava dependendo do favor do Senhor, pois ela disse a Noemi: "Deixa-me ir ao campo, e apanharei espigas atrás daquele que mo **favorecer**" (Rute 2:2). Rute estava confiante de que Deus a favoreceria embora fosse uma estrangeira e não conhecesse ninguém no campo. Ela nem sequer sabia quem possuía a parte do campo onde ela poderia colher.

Veja o relato bíblico do que aconteceu em seguida: "Foi, pois, e chegou, e apanhava espigas no campo após os segadores; e **caiu-lhe em sorte** uma parte do campo de Boaz, que era da família de Elimeleque." De todos os lugares no campo onde Rute poderia ter entrado, caiu-lhe "**em sorte**" a parte do campo que pertencia a Boaz, que era um homem de grandes riquezas, e **por acaso também** era parente de Noemi. "Caiu-lhe em sorte" significa "aconteceu-lhe" de estar no lugar certo. Entretanto, no texto original em hebraico, a raiz dessa palavra é a palavra *qarah!*

Quando Rute confiou no favor imerecido de Deus, aconteceu-lhe de entrar na parte do campo que pertencia a Boaz. Para encurtar a história, Boaz viu Rute, apaixonou-se e casou-se com ela. Rute, provavelmente, estava na pior fase de sua vida momentos antes de encontrar Boaz. Tudo estava contra ela. Mas porque ela colocou a confiança no Senhor, Ele colocou-a no lugar certo na hora certa, a sua situação foi completamente transformada. Na verdade, ela se tornou uma das poucas mulheres a serem mencionadas na genealogia de Jesus em Mateus 1:5 segundo o qual "Salmom gerou de Raabe a Boaz; este, de Rute, gerou a Obede". Que honra ser incluída na genealogia de Jesus Cristo. Isso é que é estar no lugar certo na hora certa!

Meu amigo, sejam quais forem as circunstâncias ao seu redor que estejam contra você hoje, tenha confiança no favor imerecido de Jesus e Ele lhe dará o que chamo de "sucesso *qarah*". Ele fará com que você esteja posicionado no lugar certo na hora certa para experimentar a Sua proteção e o Seu sucesso nos seus relacionamentos, na sua carreira e nas suas finanças.

Oração de Hoje

Pai, eu Te agradeço pelo Teu favor imerecido e por me abençoar com momentos qarah. Por causa do Teu favor, sei que qualquer fraqueza, incapacidade ou falta que eu possa ter na dimensão natural não impedirá que eu esteja posicionado no lugar certo na hora certa para experimentar Tuas bênçãos. Decido me apoiar no Teu favor imerecido e peço que Tu me abençoes com os acontecimentos certos hoje. Obrigado por transformar as situações negativas em minha vida e por me dar sucesso qarah.

Pensamento de Hoje
Confiarei no favor imerecido do Senhor e viverei os acontecimentos certos!

Reflexão de Hoje sobre o Favor

DIA 78

A Sabedoria do Mundo *Versus* A Sabedoria de Deus

Versículo de Hoje

Bem-aventurado o homem que não anda no conselho dos ímpios, não se detém no caminho dos pecadores, nem se assenta na roda dos escarnecedores... — Salmos 1:1

Hoje, quero falar sobre como você pode depender da sabedoria de Deus para obter êxito. A sabedoria do Senhor vem através do Seu favor imerecido. Não é algo que você possa estudar ou adquirir com os seus esforços. A sabedoria do Senhor é algo que o mundo não pode ter. Isso não quer dizer que o mundo não tem sabedoria. Entre em qualquer livraria e você encontrará estantes cheias de livros contendo teorias e métodos de especialistas sobre toda espécie de assuntos. A maioria deles, entretanto, procede da **sabedoria humana**, capaz de fortalecer e edificar somente a carne.

O que precisamos não é de mais "autoajuda". O que precisamos é da ajuda do Senhor!

Sabendo ou não disso, as pessoas do mundo estão clamando pela verdadeira sabedoria do Senhor. Simplesmente veja a demanda constante por livros de autoajuda. Mas o que precisamos não é de mais "autoajuda". Precisamos é da ajuda do Senhor! Leia livros que foram escritos por crentes e por líderes cristãos cheios do Espírito que o encorajam a confiar em Jesus e não em si mesmo.

O Salmo 1:1 nos diz isso desde o começo: "Bem-aventurado o homem que não anda no conselho dos ímpios." Amado, isso significa que *há* conselho na sabedoria humana. Mas o homem que *não* anda de acordo com a sabedoria do mundo é alguém bem-aventurado. Ao mesmo tempo, se o seu prazer estiver em Jesus, e se ele meditar nele dia e noite, o Salmo 1:3 diz: "Ele é como árvore plantada junto a corrente de águas, que, no devido tempo, dá o seu fruto, e cuja folhagem não murcha; e tudo quanto ele faz será bem sucedido."

Meu amigo, tome a decisão de andar no conselho dos justos e não no conselho do mundo, e você verá que tudo o que fizer prosperará. Deus levantou homens e mulheres que são firmados nas verdades da nova aliança, e irão ajudá-lo a manter os olhos em Jesus. Nele, você encontrará toda a sabedoria que diz respeito à vida. A Bíblia nos diz que nele "estão escondidos todos os tesouros da sabedoria e do conhecimento" (Colossenses 2:2-3) para o seu sucesso. Continue confiando em Jesus, apoie-se na Sua sabedoria divina e veja a diferença que ela fará em você!

Oração de Hoje

Pai, tomo a decisão hoje de andar no conselho dos justos e não no conselho dos ímpios. Quero viver a vida de acordo com a Tua sabedoria e não com a sabedoria do mundo. Quero andar cada vez mais na Tua sabedoria em todas as áreas da minha vida. Ajuda-me a manter os olhos em Jesus, em quem estão ocultos todos os tesouros da sabedoria e do conhecimento. Sei que enquanto medito em Jesus e na Sua graça, serei como uma árvore plantada junto às correntes das águas — sempre frutífero e prosperando em tudo o que faço. Obrigado também por enviar homens e mulheres de Deus cheios da Tua sabedoria para a minha vida para que eu aprenda os Teus caminhos.

Pensamento de Hoje

Quando dependo da sabedoria de Deus, sou abençoado com frutificação e bom êxito em tudo o que faço.

100 DIAS DE FAVOR

Reflexão de Hoje sobre o Favor

DIA 79

A Sabedoria de Cristo em Ação

❖

Versículo de Hoje

É, porém, por iniciativa dele que vocês estão em Cristo Jesus, o qual se tornou sabedoria de Deus para nós, isto é, justiça, santidade e redenção. — 1 Coríntios 1:30, NVI

Amado, quando você depender da sabedoria de Deus para ter êxito hoje, verá tudo o que fizer prosperar. Basta observar como o nosso Senhor Jesus sempre fluía em sabedoria divina no Seu ministério terreno. Por exemplo, veja o que aconteceu quando os fariseus levaram a mulher surpreendida em adultério até Ele. Os fariseus foram até Ele e citaram a lei, dizendo: "Mestre, esta mulher foi apanhada em flagrante adultério. E na lei nos mandou Moisés que tais mulheres sejam apedrejadas; tu, pois, que dizes?" (João 8:4-5).

Jesus está sentado à direita do Pai e "se tornou sabedoria de Deus para nós"!

Eles pensaram que haviam tido êxito em pregar uma peça em Jesus, pois se Ele lhes dissesse para apedrejá-la, então iriam acusá-lo de não demonstrar o perdão e a graça que Ele vinha pregando. Se Ele dissesse que eles não deveriam apedrejá-la, então os fariseus iriam acusá-lo de violar a lei de Moisés e ficariam contra Ele.

Os fariseus provavelmente sentiram um prazer malicioso por causa da armadilha inteligente que haviam conjeturado. Foi por isso que confrontaram Jesus na área pública que cercava o templo. Eles queriam constrangê-lo diante das multidões que haviam ido ouvi-lo ensinar. Agora, observe a sabedoria de Jesus em operação. Ele simplesmente lhes disse: "Aquele que dentre vós estiver sem pecado seja o primeiro que lhe atire pedra" (João 8:7).

Que majestade! Eles foram até Jesus com a lei de Moisés e Ele lhes deu o padrão perfeito da lei. Sem se acovardar, Ele simplesmente desafiou a pessoa que era perfeita perante a lei a lançar a primeira pedra. Os fariseus que haviam ido armar um laço para Jesus começaram a se afastar um por um, completamente mudos. Este mesmo Jesus, com toda a Sua sabedoria, é hoje o seu Cristo que subiu aos céus, está sentado à direita do Pai, sobre quem a Bíblia diz que "se tornou para nós sabedoria!"

A partir deste e de outros relatos de Jesus nos evangelhos, vemos como em tudo que Ele faz, nosso Salvador é completamente amoroso. Ele nunca se adianta nem se atrasa. Está sempre no lugar certo na hora certa. Ele está sempre em perfeita paz e não há nenhuma sensação de pressa no que se refere a Ele. Quando chegava a hora de ser terno, Ele era infinitamente manso, gracioso e perdoador — vemos isso na sua reação à mulher surpreendida em adultério (João 8:10-11). Quando foi hora de virar as mesas dos cambistas, Ele o fez com paixão. Ele nunca ficava esgotado com as tentativas dos fariseus de surpreendê-lo e estava sempre fluindo com sabedoria divina. Ele é aço e veludo, mansidão e majestade, humanidade perfeita e divindade perfeita. Este é Jesus e você está nele! Comece a se ver em Cristo, que está sempre fluindo com sabedoria divina, sempre no controle da situação, e a mesma sabedoria que flui nele fluirá em você e através de você.

Oração de Hoje

Pai, obrigado por me colocar em Jesus, que sempre age pela sabedoria divina. Não há problema que Ele não possa resolver. Senhor Jesus, enquanto realizo as minhas diversas atividades hoje, eu Te agradeço porque Tu és a minha sabedoria. Obrigado por me conduzir a dizer e fazer a coisa certa na hora certa. Creio que as questões confusas ou difíceis de resolver na dimensão natural serão resolvidas rapidamente, pois Tu és a minha sabedoria!

Pensamento de Hoje

Estou em Cristo e Ele está sempre fluindo com sabedoria divina!

100 DIAS DE FAVOR

Reflexão de Hoje sobre o Favor

DIA 80

A Sabedoria É o Mais Importante

Versículo de Hoje

O princípio da sabedoria é: Adquire a sabedoria; sim, com tudo o que possuis, adquire o entendimento. — Provérbios 4:7

Cristo se tornou **primeiramente sabedoria** para nós, depois justiça, santidade e redenção (1 Coríntios 1:30). A sabedoria vem em primeiro lugar! Jesus, como a nossa sabedoria, tem primordial importância. Há uma diferença entre sabedoria e conhecimento. O conhecimento ensoberbece (1 Coríntios 8:1). Ele pode tornar um indivíduo orgulhoso e arrogante. Mas a sabedoria o tornará humilde e ensinável. Você pode ler freneticamente e acumular muito conhecimento, mas ainda pode lhe faltar sabedoria. Você também não se torna sábio apenas envelhecendo e tendo mais experiência na vida. A sabedoria não é natural. Não importa se você é jovem ou velho, experiente ou inexperiente, altamente instruído ou não. A sabedoria vem através do favor imerecido de Deus.

> **A promoção e a honra vêm como resultado de receber Jesus e Sua sabedoria.**

Ouça o que a Palavra de Deus diz sobre a importância da sabedoria: "O princípio da sabedoria é: Adquire a sabedoria; sim, com tudo o que possuis, adquire o entendimento. Estima-a, e ela te exaltará; se a abraçares, ela te honrará; dará à tua cabeça um diadema de graça e uma coroa de glória te entregará" (Provérbios 4:7-9). Como você vê, a promoção e a honra constituem um resultado de recebermos Jesus e a Sua sabedoria.

Lembro-me de que a principal coisa que eu orava e pedia todos os dias nos primeiros dias da nossa igreja era pela sabedoria de Deus para nos guiar em tudo o que fazíamos. Esse era o meu foco. Eu não queria administrar a igreja com minha sabedoria humana. Queria depender da sabedoria de Jesus. Na verdade, foi durante esse tempo crendo que receberia a sabedoria de Deus que o Senhor abriu os meus olhos para o evangelho da graça!

Quando meus olhos se abriram para o evangelho do favor imerecido de Jesus, as vidas começaram a ser maravilhosamente transformadas, e de apenas algumas centenas de pessoas em meados dos anos 1990, a frequência mais alta da nossa igreja nos cultos de domingo até hoje passou a ser de mais de 22 mil vidas preciosas. Sempre que me pedem para explicar como a nossa igreja cresceu, a minha resposta é simples — foi e é inteiramente pelo favor imerecido de Jesus. Sei que é a graça e tão somente a graça que fez com que a nossa igreja tivesse um crescimento tão explosivo.

Antes de a nossa igreja ter uma tamanha explosão em seus números, o Senhor me perguntou se eu faria uma coisa. Enquanto eu estava passando tempo na Sua presença e lendo a Sua Palavra um dia, Ele me perguntou se eu pregaria sobre Jesus em todos os sermões. Para ser sincero, o meu primeiro pensamento foi que se eu pregasse apenas Jesus em todas as mensagens, muitas pessoas deixariam de vir e o tamanho da nossa igreja encolheria. Então, o Senhor me perguntou: "Se as pessoas pararem de vir, você ainda pregará Jesus em todas as suas mensagens?" Como todos os pastores jovens, eu era ambicioso e queria que a igreja crescesse, mas me submeti ao Senhor e disse: "Sim, Senhor, ainda que a igreja diminua, continuarei pregando sobre Jesus!"

Mal sabia eu que esse na verdade era um teste do Senhor, porque desde o instante em que comecei a pregar sobre Jesus, revelando a Sua amabilidade e a perfeição da Sua obra consumada todos os domingos, como igreja, nunca olhamos para trás. Eu não percebia que ao longo de todos aqueles anos orando por sabedoria, a sabedoria de Deus me conduziria à revelação do evangelho da graça — o evangelho da graça que é adulterado pela lei e pelas obras do homem, e é baseado inteiramente na obra consumada de Jesus. É isto que a sabedoria faz. Ela sempre o conduzirá à pessoa de Jesus e à cruz!

Hoje, o mesmo evangelho da graça que pregamos todos os domingos na nossa igreja está sendo transmitido a milhões de lares por toda a América, Europa, Oriente Médio e pela região do Pacífico da Ásia. Começamos como uma pequena igreja em Cingapura da qual ninguém havia ouvido falar, mas o favor imerecido de Deus tem nos abençoado para nos tornarmos um ministério internacional que está impactando o mundo com as boas-novas do Seu favor imerecido. Não levamos nenhum crédito por isso porque esta sabedoria é de Jesus, e nos gloriamos nele e apenas nele. Amado, deixe que a Sua sabedoria o conduza ao sucesso sobrenatural!

Oração de Hoje

Pai, não quero ser arrogante por causa do conhecimento, mas quero andar e falar na Tua sabedoria. Eu Te agradeço porque Jesus, que vive em mim pelo Seu Espírito, já é a minha sabedoria. Hoje, confio nele para ter sabedoria e entendimento. Eu Te agradeço porque a Sua sabedoria flui em mim, dando-me ideias criativas, alertando sobre as armadilhas do caminho e, o que é mais importante, me mostrando mais da Sua pessoa adorável e da Sua obra consumada na cruz.

Pensamento de Hoje

A sabedoria sempre me conduz à pessoa de Jesus e à Sua obra consumada na cruz.

Reflexão de Hoje sobre o Favor

_____
_____
_____
_____
_____
_____
_____
_____

DIA 81

O Espírito de Sabedoria

Versículo de Hoje

Para que o Deus de nosso Senhor Jesus Cristo, o Pai da glória, vos conceda espírito de sabedoria e de revelação no pleno conhecimento dele, iluminando os olhos do vosso coração, para saberdes qual é a esperança do seu chamamento, qual a riqueza da glória da sua herança nos santos e qual a suprema grandeza do seu poder para com os que cremos, segundo a eficácia da força do seu poder. — Efésios 1:17-19

Se o Senhor nos diz que o mais importante é a sabedoria, então cabe a nós conhecer e atuar no "espírito de sabedoria". Mas você sabe o que é o "espírito de sabedoria"? Veja a oração (anterior) que o apóstolo Paulo fez sobre a igreja de Éfeso. O espírito de sabedoria e revelação está **no conhecimento de Jesus**! Quanto mais você conhecer Jesus e tiver uma revelação do Seu favor imerecido em sua vida, mais você terá o espírito de sabedoria. Eu o desafio a fazer esta oração por sabedoria regularmente porque quando você crescer no conhecimento de Jesus, Ele certamente o conduzirá ao bom êxito em todos os aspectos da sua vida.

Quanto mais você conhecer Jesus e tiver uma revelação do Seu favor imerecido em sua vida, mais você terá o espírito de sabedoria.

Observe que quando Paulo estava fazendo essa oração pelos crentes de Éfeso, aqueles homens já eram cheios do Espírito Santo. Mas Paulo ainda orou para que Deus lhes desse o espírito de sabedoria e revelação no seu conhecimento de Jesus. Uma coisa é ter o Espírito Santo dentro de você, mas outra coisa é deixar que o Espírito Santo dentro de você flua como o espírito de sabedoria e revelação. E à medida que você ora para ser conduzido pelo espírito de sabedoria hoje, tenha confiança de que você experimentará o Espírito Santo conduzindo-o com a sabedoria divina e inigualável de Jesus. Quando o Espírito Santo o conduzir com a sabedoria de Jesus, não haverá situação impossível, problema insolúvel ou crise insuperável. A sabedoria de Jesus em você o ajudará a navegar com êxito por todas as suas provações e fará com que você prevaleça sobre todos os seus desafios!

Oração de Hoje

Pai, por favor, dá-me o espírito de sabedoria e revelação para conhecer Jesus melhor. Abre os olhos do meu entendimento e ilumina-me, para que eu possa conhecer a esperança para a qual Ele me chamou, as riquezas da Sua gloriosa herança nos santos e a suprema grandeza do Seu poder para com aqueles que creem. Pai, conduze-me com a sabedoria de Cristo em tudo o que eu fizer hoje.

Pensamento de Hoje

A sabedoria de Jesus em mim me ajuda a prevalecer sobre todas as minhas provações e desafios.

Reflexão de Hoje sobre o Favor

DIA 82

O Segredo da Sabedoria de Salomão

Versículo de Hoje

Dá, pois, ao teu servo coração compreensivo para julgar a teu povo, para que prudentemente discirna entre o bem e o mal; pois quem poderia julgar a este grande povo? — 1 Reis 3:9

Vamos dar uma olhada na vida de Salomão. Quando Salomão se tornou rei, ele era apenas um jovem de aproximadamente 18 anos de idade com a grande responsabilidade de ocupar o trono como sucessor de Davi. Salomão não era cheio de sabedoria quando subiu ao trono, mas era sem dúvida muito determinado. Ele foi ao Monte Gibeão, onde o tabernáculo de Moisés ficava para oferecer mil ofertas queimadas ao Senhor. No Monte Gibeão, o Senhor apareceu a Salomão em um sonho e disse: "Pede-me o que queres que eu te dê" (2 Crônicas 1:7).

Com a sabedoria de Jesus, você não apenas será abençoado, mas também poderá manter as bênçãos em sua vida.

Agora, pense nisto por um instante. O que você pediria se estivesse no lugar de Salomão? Ele não pediu riquezas. Salomão também não pediu para ser honrado por todos os homens. Em vez disso, ele disse ao Senhor: "... Dá-me, pois, agora, **sabedoria e conhecimento**, para que eu saiba conduzir-me à testa deste povo; pois quem poderia julgar a este grande povo?" (2 Crônicas 1:10).

A Bíblia relata que o pedido de Salomão "agradou ao Senhor" (1 Reis 3:10) e o Senhor respondeu: "Porquanto foi este o desejo do teu coração, e não pediste riquezas, bens ou honras, nem a morte dos que te aborrecem, nem tampouco pediste longevidade, mas sabedoria e conhecimento, para poderes julgar a meu povo, sobre o qual te constituí rei, sabedoria e conhecimento são dados a ti, e te darei riquezas, bens e honras, quais não teve nenhum rei antes de ti, e depois de ti não haverá teu igual" (2 Crônicas 1:11,12).

O livro de 1 Reis nos diz que Salomão disse ao Senhor: "Dá, pois, ao teu servo **coração compreensivo** para julgar a teu povo, para que prudentemente discirna entre o bem e o mal; pois quem poderia julgar a este grande povo?" Então, quando Salomão pediu sabedoria e conhecimento, ele estava pedindo um coração compreensivo.

Vamos mergulhar mais fundo. A palavra "compreensivo" aqui é a palavra hebraica *shama*, que significa "ouvir inteligentemente".[1] Em outras palavras, Salomão havia pedido um coração **apto a ouvir** — um coração que ouve a direção do Espírito de Deus, que nos conduz a toda a verdade (João 16:13) e flui a partir daí. Você precisa de um coração apto a ouvir para que a sabedoria de Deus flua através de você em todos os aspectos da sua vida!

Creio que o mesmo pedido que agradou ao Senhor naquele tempo ainda lhe agrada hoje. Deus se agrada quando pedimos sabedoria a Jesus. Pedir-lhe sabedoria é nos colocarmos em uma postura de confiança e dependência no Seu favor imerecido. Apenas os humildes podem pedir a Jesus sabedoria e um coração apto a ouvir.

Embora Salomão só tenha pedido sabedoria, o Senhor acrescentou-lhe "riquezas e honra". Muitas pessoas estão buscando as riquezas e a honra, sem perceber que elas vêm através da sabedoria de Jesus. Mesmo se alguém passasse a ser rico repentinamente, sem a sabedoria de Jesus para administrar essa riqueza, o dinheiro seria desperdiçado. Mas com a sabedoria de Jesus, você não apenas será abençoado, como também poderá manter as bênçãos em sua vida. Jesus o torna seguro para ter o bom êxito que produz frutos duradouros e permanentes de geração em geração!

Oração de Hoje

Pai, eu Te peço a mesma coisa que Salomão pediu — um coração compreensivo ou um coração apto a ouvir. Quero ser capaz de ouvir as Tuas palavras de vida e entender as Tuas direções para a minha vida, para que eu possa andar na Tua sabedoria. Quero poder fluir com o Teu Espírito, que me guia a toda a verdade. Leva-me a andar na Tua sabedoria em todas as coisas, para que eu possa viver vitoriosamente a vida que me deste e cumprir o chamado que tens para mim.

Pensamento de Hoje
Ter um coração apto a ouvir me permite conhecer e andar na sabedoria de Deus.

Reflexão de Hoje sobre o Favor

DIA 83

Sabedoria e Longevidade

Versículo de Hoje

Feliz o homem que acha sabedoria, e o homem que adquire conhecimento; porque melhor é o lucro que ela dá do que o da prata, e melhor a sua renda do que o ouro mais fino. Mais preciosa é do que pérolas, e tudo o que podes desejar não é comparável a ela. O alongar-se da vida está na sua mão direita, na sua esquerda, riquezas e honra. — Provérbios 3:13-16

A Bíblia promete algo quando você tem sabedoria: "Feliz o homem que acha sabedoria... O **alongar-se da vida está na sua mão direita**, na sua esquerda, riquezas e honra." Infelizmente, para o rei Salomão, ele apenas teve a mão esquerda da sabedoria, que segura riquezas e honra. O Senhor havia lhe dito: "Se andares nos meus caminhos e guardares os meus estatutos e os meus mandamentos, como andou Davi, teu pai, prolongarei os teus dias" (1 Reis 3:14).

Por causa da obra consumada de Jesus na cruz, riquezas e honras, assim como longevidade, pertencem a nós!

Para Salomão, que estava sob a velha aliança da lei, a bênção da longevidade era uma bênção condicional, que ele só poderia receber se pudesse guardar a lei com perfeição. Entretanto, Salomão falhou em fazer isso e não desfrutou de longevidade, a qual está na mão direita da sabedoria.

Hoje, por estarmos sob a nova aliança da graça, Jesus está à direita do Pai e Ele é a nossa sabedoria. E quando temos Jesus, podemos ser abençoados com as duas mãos da sabedoria por causa da Sua obra consumada na cruz. Isso significa que riquezas e honra, assim como longevidade, pertencem a nós! Que tremendo Deus é este a quem servimos!

Amado, busque Jesus e você experimentará sabedoria em todas as áreas da sua vida. Você não pode tentar conquistar, merecer ou estudar para adquirir a sabedoria de Deus. Ela vem através do Seu favor imerecido. Sua sabedoria lhe dará bom êxito em sua carreira. Ela fará com que você tenha êxito como estudante, pai, mãe ou cônjuge.

Por exemplo, se você está enfrentando alguns problemas no seu casamento, Deus não irá fazer o seu cônjuge retroceder e fazer com que ele ou ela dance *moonwalk** e volte para você! A mesma coisa que afastou o seu cônjuge de você originalmente o afastará outra vez. O que você precisa é de sabedoria para lidar com sua situação conjugal!

Se você está enfrentando uma crise em seus negócios, dependa do Senhor para lhe dar a Sua sabedoria. Não existem "problemas de dinheiro", apenas "problemas de ideias". Confie que o Senhor irá abençoá-lo com a sabedoria do céu para fazer com que tudo que você toca no seu local de trabalho prospere. A sabedoria de Deus sempre leva à promoção e ao bom êxito.

Oração de Hoje

Pai, eu Te agradeço porque através da obra consumada de Jesus na cruz, sou abençoado com a mão esquerda e com a mão direita da sabedoria — riquezas e honra, assim como longevidade pertencem a mim! Sei que Tu queres abençoar a mim e a minha família com bom êxito, e eu Te agradeço por fazer com que a Tua sabedoria que traz este bom êxito esteja disponível para mim através do Teu favor imerecido.

Pensamento de Hoje

Quando confio no Senhor para me abençoar com sabedoria, promoção e bom êxito se seguirão.

---

* Dança que consiste em passos que são dados para trás e ficou famosa nas coreografias do cantor Michael Jackson.

Reflexão de Hoje sobre o Favor

DIA 84

A Sabedoria de Deus lhe Traz Promoção

Versículo de Hoje

Depois, disse Faraó a José: Visto que Deus te fez saber tudo isto, ninguém há tão ajuizado e sábio como tu. Administrarás a minha casa, e à tua palavra obedecerá todo o meu povo; somente no trono eu serei maior do que tu. — Gênesis 41:39,40

Em Gênesis 39:3,4, vemos que quando Potifar viu que o Senhor era com José, e que tudo que ele tocava prosperava, Potifar imediatamente promoveu José e colocou-o a cargo de todos os negócios de sua casa. Do mesmo modo, quando Faraó viu que o Espírito de Deus estava em José e não havia ninguém que fosse tão sábio e tão cheio de discernimento quanto José, Faraó colocou-o a cargo de todo o Egito (Gênesis 41:38-40).

Se você está paralisado em uma situação e não sabe o que fazer, é hora de se humilhar pedindo ao Senhor sabedoria.

Meu amigo, quero que você note isto: José sabia que Deus era a fonte da sua sabedoria. Quando Faraó disse: "Tive um sonho, e não há quem o interprete. Ouvi dizer, porém, a teu respeito que, quando ouves um sonho, podes interpretá-lo", José imediatamente respondeu: "Não está isso em mim; mas Deus dará resposta favorável a Faraó" (Gênesis 41:15,16). José sabia que a sua sabedoria era resultado do favor imerecido do Senhor e não levaria nenhum crédito por ela. Ali estava sem dúvida um homem que entendia a graça, e a quem podiam ser confiados crescimento, promoção e mais do bom sucesso.

Observe a sabedoria de José em ação. Ele não apenas interpretou o sonho de Faraó, mas seguiu em frente, aconselhando-o sobre como tirar vantagem dos sete anos de abundância para se preparar para os sete anos de fome que foram revelados no seu sonho. Percebeu como o conselho sábio de José levou à criação de uma posição de influência para ele? É assim que a sabedoria do Senhor opera. Provérbios 18:16 diz: "O presente que o homem faz alarga-lhe o caminho e leva-o perante os grandes." José sabia que a sua sabedoria era um dom do Senhor. Ele sabia que não a merecia e que ela fluía do favor imerecido do Senhor para com ele.

Os caminhos do Senhor são impressionantes. Veja a extensão da promoção de José em Gênesis 41. No espaço de menos de uma hora, ele saiu da posição de um humilde prisioneiro para o cargo mais alto possível de todo o Egito. Isso, meu amigo, é o favor imerecido de Deus! Sem esforço próprio, sem batalhar, sem concessões e sem manipulação, apenas pura graça e tão-somente a graça fizeram toda a diferença na vida de José!

Lembre-se de que quando o Senhor está ao seu lado, você é uma pessoa bem-sucedida. Você pode estar se sentindo como se estivesse em uma prisão agora, encarcerado em uma situação desesperadora, lançado fora e esquecido como José estava, mas a história ainda não terminou! A promoção do Senhor está do outro lado da esquina. Seja qual for a situação em que você se encontre neste instante, não desista.

Se está paralisado em uma situação e não sabe o que fazer, é hora de se humilhar e pedir ao Senhor sabedoria. A Bíblia diz: "Se algum de vocês tem falta de sabedoria, peça-a a Deus, que a todos dá livremente, de boa vontade; e lhe será concedida" (Tiago 1:5, NVI). Pedir sabedoria ao Senhor é dizer: "Eu não posso, Senhor, mas Tu podes. Abro mão dos meus próprios esforços e dependo inteiramente do Teu favor imerecido e da Tua sabedoria." Conforme você recebe a Sua sabedoria, riquezas e honra, assim como longevidade, o seguirão. Corra para Ele agora mesmo!

Oração de Hoje

Pai, reconheço que toda a sabedoria divina que tenho hoje é resultado do Teu favor imerecido. Eu Te agradeço porque se eu precisar de mais sabedoria, tudo que tenho a fazer é pedi-la a Ti, e Tu me darás com prazer. E porque Tu estás disposto a me dar mais sabedoria, não preciso me esforçar, lutar e me estressar para progredir na vida. Apenas uma gota da Tua sabedoria e favor pode fazer com que eu seja rapidamente promovido a uma posição de influência e poder!

Pensamento de Hoje
Se eu precisar de sabedoria, posso simplesmente pedi-la a Deus
— Ele a dá livremente e de boa vontade!

Reflexão de Hoje sobre o Favor

DIA 85

A Sabedoria Faz com que Você Valorize a Presença de Jesus

Versículo de Hoje

Despertou Salomão; e eis que era sonho. Veio a Jerusalém, pôs-se perante a arca da Aliança do SENHOR, ofereceu holocaustos, apresentou ofertas pacíficas e deu um banquete a todos os seus oficiais. — 1 Reis 3:15

Vamos ver o que o rei Salomão fez logo após receber sabedoria de Deus em um sonho. Davi havia instituído a adoração no Monte Sião, não no Monte Gibeão. O que havia restado no tabernáculo de Moisés no Monte Gibeão eram meramente os objetos físicos, a estrutura e a forma. Havia o candelabro, a mesa dos pães ázimos e o altar do incenso. Mas o móvel mais importante do tabernáculo, a arca da aliança, que tinha a presença de Deus, estava faltando.

Quando você receber a sabedoria de Deus, vai querer receber ainda mais da Palavra de Deus e da presença de Jesus.

O Rei Davi teve uma revelação especial da arca da aliança e a havia levado de volta a Jerusalém, colocando-a no Monte Sião. Vemos que, por alguma razão, Salomão estava ligado à tradição antes de receber sabedoria. Embora ele fosse sincero em buscar o Senhor no Monte Gibeão, a presença do Senhor na verdade estava no Monte Sião. O tabernáculo de Moisés só tinha a forma, mas a substância da presença do Senhor estava com a arca da aliança em Jerusalém. Mas observe isto: logo que Salomão recebeu a sabedoria do Senhor, a **primeira coisa** que ele fez quando acordou foi ir a Jerusalém onde "... pôs-se perante a arca da aliança do Senhor, ofereceu holocaustos, apresentou ofertas pacíficas e deu um banquete a todos os seus oficiais".

Como você pode dizer se alguém recebeu sabedoria do Senhor? A primeira coisa que fará será valorizar a presença de Jesus! Uma vez que Salomão havia sido inundado pela sabedoria de Deus, deixou a estrutura formal do tabernáculo de Moisés e foi procurar a presença do Senhor em Jerusalém. Depois de receber sabedoria e um coração apto a ouvir, ele valorizou e considerou preciosa a presença do Senhor. Da mesma forma, quando você receber a sabedoria de Deus, ela não o afastará da igreja. Em vez disso, fará com que você queira receber ainda mais da Palavra de Deus e da presença de Jesus.

"Pastor Prince, o que é tão importante a respeito da arca da aliança?"

A arca da aliança é um símbolo de Jesus. Ela é feita de madeira, que fala da humanidade de Jesus (Isaías 55:12; Marcos 8:24), e é recoberta de ouro, que fala da divindade de Jesus (Isaías 2:20; Cântico dos Cânticos 5:11, 14-15). Jesus é 100% Homem e 100% Deus. Na arca há três itens: as tábuas de pedra dos Dez Mandamentos, a vara de Arão, que havia florescido e um pote de ouro de maná. Estes itens representam a falha do homem e a rebelião contra a lei perfeita de Deus, a liderança indicada por Ele e a Sua provisão, respectivamente.[1]

Agora, veja o coração de Deus para com o Seu povo. Ele deu instruções para que estes símbolos da rebelião do homem fossem colocados dentro da arca e cobertos com o trono de misericórdia. O trono de misericórdia é onde o sumo sacerdote aspergia o sangue da oferta para cobrir todas as falhas e a rebelião dos filhos de Israel.

A arca da aliança não passa de sombra. Hoje, temos a substância da obra consumada de Jesus na cruz, na qual o sangue do próprio Filho de Deus, não o sangue inferior de touros e bodes, foi derramado para apagar **todos** os nossos pecados, falhas e rebelião **de uma vez por todas**!

Não é de admirar que nas batalhas em que os filhos de Israel reconheciam o valor da arca, eles saíam vitoriosos. Da mesma maneira, hoje, é uma indicação clara da sabedoria de Deus sobre a sua vida quando você valoriza e reconhece a pessoa de Jesus e o que Ele fez por você na cruz. E porque a verdadeira arca da aliança está com você o tempo todo, você não pode deixar de ser vitorioso, bem-sucedido e triunfante em qualquer batalha em que esteja envolvido. Salomão entendeu isto e imediatamente buscou a presença do Senhor depois de acordar do seu sonho. Vá meu amigo, e busque a presença de Jesus em sua vida. Ele é a sua sabedoria e vitória sobre todas as batalhas hoje!

Oração de Hoje

Pai, a Tua Palavra declara que Jesus nunca me deixará nem me abandonará. Portanto, agora mesmo, Jesus, reconheço e Te agradeço pela Tua presença permanente. E assim como os israelitas eram sempre vitoriosos nas batalhas quando a Tua presença estava com eles, espero ter vitória hoje em qualquer desafio que eu enfrente porque Tu estás comigo. Obrigado, Jesus, por me dar sabedoria, vitória, sucesso duradouro e paz.

Pensamento de Hoje

Quando busco e reconheço a presença de Jesus, não posso deixar de ser triunfante, bem-sucedido e vitorioso em todas as batalhas.

Reflexão de Hoje sobre o Favor

_____
_____
_____
_____
_____
_____
_____
_____
_____
_____

DIA 86

Faça de Jesus a Sua Prioridade e Veja as Bênçãos que lhe Serão Acrescentadas

Versículo de Hoje

Portanto, não vos inquieteis, dizendo: Que comeremos? Que beberemos? Ou: Com que nos vestiremos? Porque os gentios é que procuram todas estas coisas; pois vosso Pai celeste sabe que necessitais de todas elas; buscai, pois, em primeiro lugar, o seu reino e a sua justiça, e todas estas coisas vos serão acrescentadas. — Mateus 6:31-33

Quando falo em não se preocupar e manter nossos olhos em Jesus, algumas pessoas acham que não estou sendo prático. Amado, você pode se preocupar o quanto quiser com sua crise atual, mas isso não vai melhorar ou mudar sua situação nem um pouco. Por favor, entenda que não estou menosprezando o que você está passando. Estou apenas lhe oferecendo a melhor solução que conheço e sei que funciona. A transformação que você espera não virá em resultado dos seus esforços. Ela virá quando você descansar na pessoa de Jesus e na Sua obra consumada.

O Senhor nos enche de benefícios diariamente!

Jesus disse: "... não andeis ansiosos pela vossa vida, quanto ao que haveis de comer ou beber; nem pelo vosso corpo, quanto ao que haveis de vestir... (Mateus 6:25). Ora, Jesus não estava dizendo que essas coisas — comida, bebida e roupas — não são importantes. Na verdade, Ele diz que "vosso Pai celeste sabe que necessitais de todas elas". Mas Jesus quer que façamos o seguinte: "Buscai, pois, em primeiro lugar o Seu reino e a Sua justiça", e Ele promete que "todas estas coisas vos serão acrescentadas".

Agora, quem é a justiça de Deus? Jesus Cristo. E quem é o rei do "reino de Deus" a quem devemos buscar? Jesus Cristo (Apocalipse 19:16)! Jesus estava na verdade se referindo a Ele mesmo ao pregar. Quando você o buscar em primeiro lugar em sua vida e fizer dele sua prioridade a cada dia, todas essas provisões materiais — o que você vai comer, beber e vestir — serão acrescentadas a você. Deus não tem prazer em tirar algo de você. Ele tem prazer no seu crescimento, promoção e enriquecimento. O Salmo 68:19 diz: "Bendito seja o Senhor, que **de dia em dia** nos carrega de benefícios..." (ACF). O Senhor nos carrega de benefícios diariamente! Esta é a bondade do nosso Salvador. Suas misericórdias e o Seu favor imerecido se renovam a cada manhã. Essa é a maneira de viver e desfrutar a vida, sabendo que Jesus está *com você* e é *por você* a cada passo do caminho.

Coloque Jesus em primeiro lugar em tudo que você fizer. Honre-o e dê a Ele primazia na sua vida diária. Participe da Sua obra consumada diariamente lendo as Suas palavras de vida para você. Pratique observar a presença de Jesus e seja consciente de que Ele está com você, assim como José na Bíblia estava consciente de que o Senhor estava com ele. Jesus abençoará as obras das suas mãos, e tudo que você tocar realmente prosperará e trará bom êxito à sua vida.

Oração de Hoje

Pai, eu Te agradeço porque Tu estás bem a par de tudo que necessito nesta vida, e queres ACRESCENTAR, e não negar isso a mim. Ajuda-me, portanto, a não me preocupar com todas essas coisas e a não colocar o foco em obtê-las, mas ajuda-me a fazer de buscar Jesus e a Sua justiça a minha prioridade número 1 todos os dias. Senhor Jesus, quero colocar-Te em primeiro lugar em tudo que eu fizer. Sei que quando eu Te der a primazia em minha vida, tudo o mais se encaixará no lugar certo para o meu bem!

Pensamento de Hoje
Quando eu colocar Jesus em primeiro lugar em tudo o que faço, tudo que eu tocar prosperará.

Reflexão de Hoje sobre o Favor

DIA 87

Faça a Única Coisa que é Necessária

Versículo de Hoje

Respondeu-lhe o Senhor: Marta! Marta! Andas inquieta e te preocupas com muitas coisas. Entretanto, pouco é necessário ou mesmo uma só coisa; Maria, pois, escolheu a boa parte, e esta não lhe será tirada. — Lucas 10:41-42

É prático ficar ocupado com Jesus? Pode ajudá-lo? Coloca comida na mesa? Prospera suas finanças? Torna o seu corpo mais saudável? Sabemos o que isso fez por Pedro — ele andou sobre as águas. Agora, vamos dar uma olhada no que fez por Maria. Você pode encontrar a história de Maria e sua irmã, Marta, em Lucas 10:38-42.

A única coisa que é necessária é você se sentar aos pés de Jesus e manter seus olhos, ouvidos e coração nele.

Maria estava sentada aos pés de Jesus quando o Senhor foi visitá-la. Marta, a irmã mais velha, estava ocupada trabalhando na cozinha, garantindo que tudo estivesse em ordem com comida e bebida suficientes para o convidado. Marta estava ocupada servindo a quem? Jesus. E enquanto Marta estava correndo freneticamente, entrando e saindo da cozinha, o que sua irmã mais nova, Maria, estava fazendo? Em meio a toda aquela atividade e ocupação, Maria estava sentada aos pés de Jesus, contemplando Sua beleza, contemplando a Sua glória e concentrada em cada palavra que saía dos Seus lábios. Enquanto Maria estava descansando e extraindo água viva de Jesus, sua irmã Marta estava inquieta, frenética e estressada com a preocupação de servir Jesus. Uma irmã estava concentrada em servir, enquanto a outra estava concentrada em receber.

Veja o que aconteceu depois de algum tempo. O estresse de Marta em servir por fim levou-a a ter o seguinte rompante de frustração: "Senhor, não te importas de que minha irmã tenha deixado que eu fique a servir sozinha? Ordena-lhe, pois, que venha ajudar-me" (Lucas 10:40). Em um momento de ira, ela culpou duas pessoas: o Senhor Jesus e sua irmã, Maria. Agora, ouça com atenção a resposta de Jesus, e você poderá se identificar na descrição que o Senhor fez de Marta: "Marta! Marta! Andas inquieta e te preocupas com muitas coisas. Entretanto, pouco é necessário ou mesmo uma só coisa; Maria, pois, escolheu a boa parte, e esta não lhe será tirada."

Essa resposta é impressionante. Na cultura do Oriente Médio, era certo Maria estar na cozinha preparando comida e servindo seu convidado. Ora, seria vergonhoso o fato de Maria se sentar aos pés de Jesus e não ajudar Marta se Jesus fosse apenas um convidado comum. Mas Jesus não era um convidado comum e Maria sabia disso. Ele era Deus encarnado e a melhor maneira de ministrar a Deus quando Ele está em sua casa é se sentar aos Seus pés extraindo o máximo dele! É isso que agrada o nosso Senhor.

Jesus ama quando você se aproxima para extrair dele tanto quanto possível. É por isso que Ele estava satisfeito com Maria. Foi por isso que defendeu a atitude de Maria, dizendo: "... pouco é necessário ou mesmo uma só coisa; Maria, pois, escolheu a boa parte..." Qual é a "uma só coisa" que é necessária? É se ocupar em servir ao Senhor? É ficar perturbado com muitas coisas? Não, a única coisa que é necessária é você se sentar aos pés de Jesus e manter os olhos, ouvidos e coração nele. Uma irmã viu Jesus na dimensão natural, precisando da sua ministração. A outra irmã o viu como Deus coberto pela carne com uma plenitude da qual ela poderia usufruir. Qual irmã você supõe ter reverenciado Jesus e feito com que Ele se sentisse como o Deus que Ele é? Maria. Marta obviamente se esqueceu de que aquele Deus-Homem havia multiplicado pães e peixes para alimentar uma multidão. **Ele não veio para ser alimentado, mas para alimentar!**

Infelizmente, às vezes, a coisa mais difícil para nós é nos sentarmos! Às vezes, a coisa mais desafiadora que podemos fazer é cessar nossos próprios esforços e descansar unicamente no favor imerecido de Jesus. Muitas vezes, somos como Marta — preocupados, ocupados e perturbados com muitas coisas. Todas elas podem ser preocupações legítimas. No caso de Marta, ela estava tentando ao máximo servir ao Senhor. Acabou fazendo muitas coisas naquele dia, mas deixou de fazer a única que era realmente necessária.

Os crentes que fazem essa única coisa necessária não estão preocupados com nada mais. Por outro lado, os crentes que deixam de fazê-la acabam ficando perturbados com muitas coisas. Você acredita que uma única coisa é necessária — descansar aos pés de Jesus e receber dele?

Agora, é prático ficar ocupado apenas com Jesus? Sem dúvida alguma. Descobrimos mais tarde, no evangelho de João, que Maria pegou uma medida de óleo de nardo muito valioso, ungiu os pés de Jesus e secou os Seus pés com os seus cabelos para prepará-lo para o Seu funeral (João 12:3-8). Na manhã da ressurreição, algumas mulheres foram com unguento para ungir o corpo de Jesus, mas era tarde demais. Elas estavam agindo da forma certa, mas na hora errada. O Senhor já havia subido. Mas Maria fez a coisa certa na hora certa. Isso demonstra que quando você faz a única coisa que é necessária, acaba agindo certo na hora certa e Deus fará com que tudo que você toque seja tremendamente abençoado.

Assim como Maria, decida focar na beleza, na glória e no amor de Jesus. Decida não se perturbar com muitas coisas ou estar constantemente ocupado consigo mesmo. Assim como Pedro, fique de costas para a tempestade e olhe para Jesus, e você começará a andar sobre a tempestade. Amado, escolha focar no Senhor e descansar na Sua obra consumada. Assim como Jesus é, você também é neste mundo!

Oração de Hoje

Senhor Jesus, embora eu tenha muitas coisas para fazer hoje, decido me sentar aos Teus pés e receber de Ti. Ministra as Tuas palavras de vida a mim! Quero me aproximar de Ti e beber de Ti. Eu Te agradeço porque quando passo tempo aos Teus pés, Tu me colocas no lugar certo na hora certa e fazes com que eu prospere e tenha bom êxito!

Pensamento de Hoje

Quando faço a única coisa que é necessária, acabo fazendo a coisa certa na hora certa.

Reflexão de Hoje sobre o Favor

DIA 88

Seja Consciente da Justiça e Experimente Todas as Bênçãos

Versículo de Hoje

Toda arma forjada contra ti não prosperará; toda língua que ousar contra ti em juízo, tu a condenarás; esta é a herança dos servos do SENHOR e o seu direito que de mim procede, diz o SENHOR. — Isaías 54:17

Você já percebeu como geralmente é apenas a primeira parte de Isaías 54:17 que é citada: "Toda arma forjada contra ti não prosperará"? Agora, quer saber qual é o segredo para conseguir liberar essa promessa de proteção e andar plenamente na sua herança em Cristo? O mais interessante é que este versículo raramente é citado por inteiro: "Toda arma forjada contra ti não prosperará; toda língua que ousar contra ti em juízo, tu a condenarás; essa é a herança dos servos do Senhor **e o seu direito que de mim procede, diz o Senhor.**" Como pode ver, amado, é quando você sabe que o seu direito procede do Senhor que nenhuma arma forjada contra você prospera, e toda língua de acusação, juízo e condenação que se levante cairá!

Deus quer que você use a sua fé para crer que mesmo quando você falha, Ele é um Deus capaz de justificar o ímpio e o torna justo. Isto é graça.

Para muitos de nós, é fácil confessar que você é justo quando tudo vai bem. Mas vamos falar sobre os momentos em que você se depara com uma crise em casa ou no trabalho, quando comete um erro, está doente, é tentado ou mesmo quando está deprimido. É aí que o diabo, o "acusador dos irmãos" (Apocalipse 12:10), virá contra você e gritará pensamentos de acusação ou condenação nos seus ouvidos: "E você diz ser um cristão? Você acha que Deus vai ouvir a sua oração desta vez?"

Meu amigo, **esta** é a hora de começar a declarar a sua justiça, e que nenhuma arma forjada contra você prosperará. Em vez disso, você vai andar em toda a sua herança em Cristo, que inclui as bênçãos de Abraão. O acusador quer você focado no seu desempenho, e se você entrar na esfera da lei, a fé se torna nula e a promessa sem efeito (Romanos 4:14). Mas se você mantiver sua crença e a confissão de que você é justo em Cristo, a promessa feita a Abraão e todas as bênçãos de ser um herdeiro do mundo serão liberadas sobre cada aspecto da sua vida.

O acusador é muito sutil. Ele não tem nenhum problema se você usar a sua fé para outras coisas, como um carro novo ou uma promoção, desde que você não use a sua fé para aquilo que é mais importante — crer que você é justo pela fé em Jesus. Uma vez que você foque e canalize toda a sua fé nessa direção, o acusador não apenas perderá o seu poder sobre você, como todas as bênçãos que você deseja também lhe serão acrescentadas! Como a Palavra de Deus promete, "buscai **em primeiro lugar** o reino de Deus e a Sua justiça, e todas estas coisas vos serão **acrescentadas**" (Mateus 6:33).

"Mas Pastor Prince, eu... eu não mereço a bênção de Abraão".

Você está absolutamente certo, meu amigo. Nenhum de nós merece a bênção de Abraão, e é por isso que é importante termos consciência de sermos justos pela fé. Não estamos recebendo o que nossa própria justiça merece. Estamos recebendo o que a justiça de Jesus merece. Não fizemos nada certo, mas Jesus fez tudo certo em nosso favor. Isso é graça — o favor imerecido, inconquistável de Deus. A Sua graça é a chave para nos tornarmos herdeiros do mundo e para experimentarmos as bênçãos abundantes de Abraão.

Você precisa ler este trecho da Bíblia por si mesmo:

> *Porque, se Abraão foi justificado por obras, tem de que se gloriar, porém não diante de Deus. Pois que diz a Escritura? Abraão creu em Deus, e isso lhe foi imputado para justiça. Ora, ao que trabalha o salário não é considerado como favor, e sim como dívida.* **Mas, ao que não trabalha, porém crê naquele que justifica o ímpio, a sua fé lhe é atribuída como justiça.**
>
> — *Romanos 4:2-5*

O segredo das bênçãos de Abraão está no versículo 5 (em destaque). Em que Abraão creu? Ele creu que Deus justifica o ímpio. Dedique algum tempo para meditar nisto. Deus quer que você use a sua fé para crer que mesmo quando você falha, Ele é um Deus que justifica o ímpio e o torna justo. Isto é graça.

Meu amigo, coloque sua fé no Seu favor imerecido em vez de colocá-la nas suas obras. Ser justo não se baseia no seu desempenho perfeito. Baseia-se na Sua obra perfeita. Sua parte é usar a sua fé para crer que você realmente é justo pela fé, de modo que você reinará nesta vida, irá tornar-se um herdeiro do mundo, e viverá uma vida vitoriosa e triunfante.

Oração de Hoje

Pai, eu declaro que mesmo quando falho, nenhuma arma forjada contra mim prosperará porque tenho a justiça de Jesus Cristo. Toda língua que se levante contra mim em juízo e condenação, tenho o direito de condená-la porque sou justo em Cristo. E porque tenho o Teu dom da justiça, reinarei em vida através de Cristo. Desfrutarei a bênção de Abraão e viverei uma vida vitoriosa e triunfante!

Pensamento de Hoje

Nenhuma arma forjada contra mim pode prosperar porque sou a justiça de Deus em Cristo.

Reflexão de Hoje sobre o Favor

_____

_____

_____

_____

_____

DIA 89

A Justiça Decorrente da Fé Fala

Versículo de Hoje

Ora, Moisés escreveu que o homem que praticar a justiça decorrente da lei viverá por ela. Mas a justiça decorrente da fé assim diz: Não perguntes em teu coração: Quem subirá ao céu?, isto é, para trazer do alto a Cristo.
— *Romanos 10:5-6*

Deixe-me dizer algo sobre a fé. Você não pode ter fé sem declará-la. Ao estudar Romanos 10, você pode ler ali que "a justiça decorrente da lei **viverá**... Mas a justiça decorrente da fé assim **diz**...". A lei tem a ver com fazer, ao passo que a fé tem a ver com dizer. Não basta apenas saber na sua mente que você é justo. Não basta apenas ler este capítulo ou ouvir um sermão sobre a justiça e mentalmente concordar com o fato de você ser justo. É preciso você abrir a sua boca e dizer pela fé: "Sou a justiça de Deus em Cristo." É aí que muitos crentes estão perdendo a bênção de Abraão. Eles não estão declarando a sua justiça pela fé.

A nossa primeira reação quando descobrimos um sintoma em nosso corpo, quando recebemos um diagnóstico ruim ou quando passamos por uma provação, deveria ser sempre dizer: "Sou a justiça de Deus em Cristo."

Nossa primeira reação quando descobrimos um sintoma em nosso corpo, quando recebemos um diagnóstico ruim ou quando passamos por uma provação, deveria ser sempre dizer: "Sou a justiça de Deus em Cristo." Vamos lá, é aí que a porca torce o rabo. É aí que precisamos declarar isso. Você precisa não apenas saber que é justo, mas precisa crer e declarar a sua justiça em Cristo. Não é fé até que você o diga! Paulo disse: "Tendo, porém, o mesmo espírito da fé, como está escrito: Eu cri; por isso, é que falei. Também nós cremos; por isso, também falamos" (2 Coríntios 4:13). O espírito da fé tem a ver claramente com crer e falar. Então, não importa quantos sermões ou livros sobre justiça você ouviu e leu. Você precisa crer nela e declará-la.

Quando você erra e deixa a desejar no que se refere ao padrão perfeito da lei, esta é a hora em que você deve exercitar a sua fé dizendo: "Sou a justiça de Deus em Cristo." Nesse exato momento, quando você está fervendo de raiva com o seu cônjuge, ou quando perdeu a calma no trânsito, é preciso fé para dizer que você é justo porque você sabe que pisou na bola. E sabe de uma coisa? No instante em que você diz isso, mesmo ainda estando com raiva, você sentirá como se tivesse introduzido algo bom em sua situação. Você dará um passo para trás e começará a relaxar, e a raiva se dissipará enquanto você começa a perceber sua verdadeira identidade em Cristo.

Homens, se vocês virem uma mulher pouco coberta na televisão ou na capa de uma revista, e se sentirem tentados, qual é a sua primeira reação? Ficam conscientes do pecado ou da justiça? A consciência do pecado os levará a sucumbir à sua tentação, ao passo que a consciência da justiça lhe dá poder para vencer todas as tentações. É por isso que o inimigo quer mantê-lo consciente do pecado. Confessar seus pecados o tempo todo o mantém consciente do pecado. É como se Jesus não tivesse se tornado nosso pecado na cruz. A consciência da justiça o mantém consciente de Jesus. Todas as vezes que você declara isto, engrandece a obra de Jesus na cruz. Portanto, creia e declare a verdade: "Sou a justiça de Deus em Cristo." Então, você não poderá deixar de ver os resultados de engrandecer o Senhor Jesus e a Sua obra consumada!

Oração de Hoje

Pai, por causa do sacrifício perfeito de Jesus por mim na cruz, eu sou sempre justo aos Teus olhos. Ajuda-me a sempre estar atento à minha justiça eterna em Cristo e a confessá-la em todas as situações que enfrento. Por ser justo em Cristo, estou revestido de poder pelo Teu Espírito para vencer todos os desafios e reinar em vida!

Pensamento de Hoje
A consciência da justiça me dá o poder para superar todas as adversidades.

Reflexão de Hoje sobre o Favor

DIA 90

Como Crescer no Favor Imerecido de Deus

Versículo de Hoje

Portanto, assim como por um só homem entrou o pecado no mundo, e pelo pecado, a morte, assim também a morte passou a todos os homens, porque todos pecaram. — Romanos 5:12

A Palavra de Deus nos diz: "E **crescia** Jesus em **sabedoria**, estatura e graça, diante de Deus e dos homens" (Lucas 2:52). Este é um bom versículo para orar e declarar sobre os seus filhos — para que eles primeiro cresçam no favor (graça) de Deus, e depois no favor dos homens. O seu "relacionamento vertical" com Deus deve sempre ter prioridade sobre o seu "relacionamento horizontal" com as pessoas que o cercam.

> **Por causa da obra perfeita de Jesus na cruz, você é justo pelo Seu sangue, e é grandemente abençoado, altamente favorecido e profundamente amado!**

Assim como Jesus, você pode crescer em sabedoria e no favor imerecido de Deus. Como? Você provavelmente notou que alguns crentes parecem experimentar muito mais favor imerecido do que outros. Creio que isto acontece porque esses crentes entendem a chave para ter acesso ao favor de Deus. Romanos 5:2 declara claramente que "obtivemos igualmente acesso, pela fé, a esta graça [favor imerecido] na qual estamos firmes". Para ter acesso ao seu computador ou à sua conta bancária, você precisa de uma senha. Para ter acesso ao favor imerecido de Deus e crescer nele, a "senha" ou chave que precisamos ter é a fé, fé para crer que VOCÊ, _____ (insira o seu nome) é altamente favorecido!

Uma das coisas que ensinei aos membros da minha igreja é declarar sobre si mesmos que eles são **grandemente abençoados, altamente favorecidos e profundamente amados.**

"Como sabemos que somos grandemente abençoados, Pastor Prince?"

Leia Hebreus 6:13-14 por si mesmo. Deus queria que estivéssemos tão firmados no conhecimento seguro e inabalável de que Ele **irá** nos abençoar, a nós, a semente de Abraão, que Ele jurou por Si mesmo, dizendo: "Certamente, te abençoarei e te multiplicarei."

"Como podemos dizer que somos altamente favorecidos?"

Efésios 1:6 nos revela que pela graça (favor imerecido) de Deus, Ele mesmo "nos tornou **aceitos** no Amado". No texto original grego, a palavra "aceito" é a palavra *charitoo*, que significa "altamente favorecido".[1]

"E será que somos profundamente amados por Deus?"

Deus não apenas nos amou. João 3:16 diz que "Deus amou o mundo **de tal maneira** que deu o Seu Filho Unigênito". Ele demonstrou como nos amava de TAL MANEIRA quando enviou Jesus para morrer na cruz por nós.

Oro para que os versículos que lhe mostrei aqui o ajudem a crer que através de Jesus, você é realmente grandemente abençoado, altamente favorecido e profundamente amado. Se essas verdades ainda não estiverem firmadas no seu coração, comece a declará-las. Olhe-se no espelho todas as manhãs e declare com ousadia: "Por causa da obra perfeita de Jesus na cruz, sou justo pelo Seu sangue, grandemente abençoado, altamente favorecido e profundamente amado! Espero que coisas boas cruzem o meu caminho. Espero ter bom êxito e tenho uma expectativa confiante no bem!"

Logo que você recebe Cristo, **você** está pisando na terra do favor. Você não está mais na terra da condenação. Deus olha para você como Seu filho favorito!

"Mas Pastor Prince, como Deus pode ter tantos favoritos?"

Ei, Ele é Deus! Não tente limitar um Deus infinito com sua mente finita. A Bíblia nos diz que Deus conta até os cabelos na cabeça de cada um de nós (Mateus 10:30). (Amo muito minha filha, mas nunca contei o número de fios de cabelo em sua cabeça). O Seu amor por cada um de nós é íntimo e profundamente pessoal. Aos Seus olhos, somos todos Seus favoritos!

Oração de Hoje

Pai, firma-me na verdade de que sou grandemente abençoado, altamente favorecido e profundamente amado. Por causa do Teu favor imerecido e da obra perfeita de Jesus na cruz, sou justo pelo Seu sangue. Creio e declaro que sou grandemente abençoado, altamente favorecido e profundamente amado! Hoje, espero que coisas boas venham em minha direção. Espero ter bom êxito! Aleluia! Obrigado, Pai, pelo Teu favor imerecido!

Pensamento de Hoje
Sou um favorito de Deus!

Reflexão de Hoje sobre o Favor

_____

_____

_____

_____

_____

_____

_____

_____

_____

_____

_____

_____

_____

DIA 91

Deus Escolhe os Fracos para Envergonhar os Fortes

Versículo de Hoje

Irmãos, reparai, pois, na vossa vocação; visto que não foram chamados muitos sábios segundo a carne, nem muitos poderosos, nem muitos de nobre nascimento; pelo contrário, Deus escolheu as coisas loucas do mundo para envergonhar os sábios e escolheu as coisas fracas do mundo para envergonhar as fortes — 1 Coríntios 1:26,27

Deus está interessado no seu sucesso. Ainda que você não seja o mais rápido, o mais forte, o mais sábio, o mais entendido e o mais hábil na esfera natural, Deus ainda pode abençoá-lo com bom êxito quando você depende da Sua graça. Você pode se erguer acima do sistema da mediocridade através do Seu favor imerecido e inconquistável. O sistema do mundo só recompensa os fortes, enquanto aqueles que são fracos são negligenciados e, em alguns casos, até desprezados. Mas em Jesus, há esperança para eles.

Nas mãos cheias de graça de Deus, as coisas loucas e fracas se tornam ainda mais sábias e mais fortes que as coisas sábias e fortes do mundo.

A maneira de Deus é completamente oposta à maneira do mundo. De acordo com 1 Coríntios 1:26, "não foram chamados muitos sábios segundo a carne, nem muitos poderosos, nem muitos de nobre nascimento". Não é fascinante descobrir que enquanto o mundo olha favoravelmente para os sábios, poderosos e nobres, Deus não faz o mesmo? Vejamos no versículo seguinte o que Deus escolhe no lugar deles: "Deus escolheu as **coisas loucas** do mundo para envergonhar os sábios e escolheu as **coisas fracas** do mundo para envergonhar as fortes."

Isto não é impressionante? Deus escolheu as coisas loucas e fracas para serem merecedoras de suas bênçãos abundantes. Mas o versículo não diz que as coisas loucas e fracas permanecerão loucas e fracas. Em vez disso, pelo favor imerecido de Deus, elas envergonharão as coisas supostamente sábias e fortes deste mundo. Nas mãos cheias de graça de Deus, as coisas loucas e fracas se tornam ainda mais sábias e mais fortes que as coisas sábias e fortes do mundo.

Experimentei isso em minha vida pessoal. No colegial, eu era gago. Observava as outras crianças falando e lendo em voz alta na aula sem esforço, enquanto eu tinha sérios problemas para fazer com que as palavras saíssem da minha boca.

Lembro-me de um professor que sempre entrava na sala de aula me fazia ficar de pé e ler em voz alta na aula. Ele fazia isso pelo simples prazer de me ver gaguejar e vacilar, sabendo muito bem o que aconteceria. E sem dúvida alguma, enquanto eu tentava pronunciar a primeira palavra — "o-o-o-o-o-o-o", meus colegas (principalmente as meninas) riam, o professor ria e minhas orelhas queimavam e ficavam vermelhas. Isto acontecia todas as vezes que ele me pedia para ler na aula.

Sinceramente, se você me dissesse naquela época que eu hoje estaria pregando para milhares de pessoas toda semana, eu teria corrido em busca de proteção debaixo da mesa e dito "Para trás de mim, Satanás!" Se havia uma área na qual qualquer pessoa que me conhecia naquela época sabia que eu fracassaria, seria em falar em público. Mas Deus olhou para baixo e disse: "Vou fazer deste garoto um pregador."

Um dia, quando eu estava cansado de ser infeliz, eu disse ao Senhor: "Senhor, não tenho muito para Te dar, mas tudo o que tenho eu Te dou." Lembro-me de como minha voz era o que mais me envergonhava, então eu disse: "Senhor, eu Te dou a minha voz." Quando eu disse isso, fiquei com pena dele por receber alguém como eu com tantas fraquezas.

Para encurtar a história, depois que entreguei todas as minhas fraquezas ao Senhor, algo sobrenatural aconteceu. Parei de me importar com minha gagueira e ela desapareceu sobrenaturalmente. Naquela área da minha fraqueza, Deus propiciou a Sua força. Há cerca de dois anos, uma das professoras do meu tempo do colegial veio à minha igreja e sentou-se em um dos cultos no qual eu estava pregando. Depois do culto, ela escreveu-me um bilhete que dizia: "Vejo um milagre. Isto só pode ser Deus!"

Por que o Senhor escolhe as coisas loucas e fracas para confundir as sábias e fortes deste mundo? A resposta é simples. É "a fim de que **ninguém se vanglorie na presença de Deu**s" (1 Coríntios 1:29). Deus escolhe as coisas que são fracas na esfera natural para que ninguém possa se gabar da sua própria capacidade — toda a glória é atribuída ao Senhor.

Creio que o motivo pelo qual Deus escolhe alguém assim como eu para pregar o evangelho é para que outros (principalmente os que me conheceram antes) olhem para mim e digam "Isto só pode ser Deus!" e assim Ele receba a glória. Agora, vendo como Deus usou minha voz, minha principal fraqueza, para trazer transformação de vida e milagres não apenas às pessoas de Cingapura, mas também em todo o mundo através dos nossos programas de televisão, sinto-me agradecido, pois sei como eu era antes de Deus me tocar. Meu amigo são justamente aqueles que são orgulhosos e dependem da sua força humana que Deus não pode usar. Então, quando você olhar para si mesmo e perceber somente fraquezas, dependa do favor imerecido de Deus e saiba que Deus pode usá-lo e que Ele o fará!

Oração de Hoje

Pai, Tu sabes tudo sobre as minhas fraquezas. No entanto, Tu estás disposto a me usar para o Teu propósito e para a Tua glória. Portanto, eu Te dou todas as minhas fraquezas e me apoio inteiramente no Teu favor imerecido. Nas Tuas mãos, essas fraquezas se tornarão forças. Obrigado pelo Teu favor imerecido, pois ele fará com que eu me erga acima do sistema de mediocridade do mundo e tenha sucesso além das minhas habilidades naturais, minha experiência e qualificações!

Pensamento de Hoje

Ainda que eu não seja o mais inteligente ou o mais forte, Deus pode me abençoar com bom êxito quando eu depender do Seu favor imerecido.

Reflexão de Hoje sobre o Favor

DIA 92

Quando Deus Pode Usá-lo

Versículo de Hoje

Mas vós sois dele, em Cristo Jesus, o qual se nos tornou, da parte de Deus, sabedoria, e justiça, e santificação, e redenção, para que, como está escrito: "Aquele que se gloria, glorie-se no Senhor." — 1 Coríntios 1:30,31

É Jesus, a Sua sabedoria em sua vida, a Sua justiça e a Sua obra redentora perfeita na cruz que faz de você um sucesso. Assim, quando você se gabar do seu sucesso, você só pode se gabar em Jesus. Sem Jesus, você não tem nada de que se gabar. Mas com Jesus na sua vida, você pode se gloriar nele e somente nele por cada sucesso e bênção que vem através do Seu favor imerecido. Se você é forte, poderoso e sábio em si mesmo, então o favor imerecido de Deus não pode fluir. Mas quando você não age assim, mas entende sua fraqueza e loucura, e depende de Jesus, *é aí* que o Seu favor imerecido pode fluir sem impedimentos na sua vida.

> **Quando você entende a sua fraqueza e loucura, e depende de Jesus, é aí que o Seu favor imerecido pode fluir sem impedimentos na sua vida.**

Podemos observar isso na história de Moisés. Em seus primeiros 40 anos como um príncipe egípcio admirado e respeitado, ele pensava que sabia tudo. A Bíblia diz que nos seus primeiros 40 anos, Moisés era "poderoso em palavras e obras" (Atos 7:22), mas Deus não podia usá-lo. Entretanto, nos 40 anos seguintes, algo aconteceu a Moisés. Ele fugiu do Egito depois de matar um egípcio que estava espancando um hebreu, e foi habitar no deserto de Midiã. Ele se tornou um pastor e não era mais considerado poderoso em palavras ou obras. Em vez disso, ele até se tornou gago (Êxodo 4:10). E a esta altura da vida, quando ele provavelmente pensava que estava acabado, que era insignificante comparado ao que havia sido e que seus dias de glória haviam ficado para trás, Deus lhe apareceu e disse: "Eu te enviarei a Faraó, para que tires o meu povo, os filhos de Israel, do Egito" (Êxodo 3:10).

Quarenta anos antes, no auge da sua capacidade, Moisés não pôde sequer enterrar adequadamente um egípcio que ele havia matado — foi descoberto e obrigado a fugir (Êxodo 2:11-15). Mas agora, destituído da sua dependência na sua força humana e atento às suas fraquezas, ele entrava no seu chamado, dependente unicamente do favor imerecido de Deus. E, desta vez, quando Moisés levantou sua vara sobre o mar, o mar cobriu dezenas de milhares de egípcios completamente (Êxodo 14:26-28).

A Bíblia nos diz que "Deus se opõe aos orgulhosos, mas concede graça aos humildes" (1 Pedro 5:5). Amado, Deus não vai impor o Seu favor imerecido a nós. Sempre que quisermos depender de nós mesmos e da nossa sabedoria, Ele permitirá que façamos isso. O Seu favor imerecido é dado àqueles que reconhecem humildemente que não podem ter êxito na sua própria força e capacidade. Quando relaxamos e dependemos do Seu favor imerecido, Ele assumirá o controle e fará por nós o que não podemos fazer por nós mesmos!

Oração de Hoje

Pai, eu reconheço humildemente minha total incapacidade de realizar qualquer coisa na vida por mim mesmo. Portanto, eu abro mão da minha dependência do esforço próprio e decido depender de Ti e do Teu favor imerecido somente. Só pode haver bons resultados na minha vida quando TU és Aquele que trabalha em mim e através de mim. Qualquer bom êxito que eu tenha hoje é por causa de Ti e do Teu favor imerecido. Obrigado por fazer por mim e através de mim o que eu não posso fazer por mim mesmo.

Pensamento de Hoje

Quando não sou eu, mas o próprio Deus trabalhando em mim e através de mim, os resultados são perfeitos.

Reflexão de Hoje sobre o Favor

DIA 93

A Submissão Libera o Favor de Deus Sobre a Sua Vida

Versículo de Hoje

Nessa ocasião Jessé disse a seu filho Davi: Pegue uma arroba de grãos tostados e dez pães e leve-os depressa a seus irmãos no acampamento. Leve também estes dez queijos ao comandante da unidade deles. Veja como estão seus irmãos e traga-me alguma garantia de que estão bem. — 1 Samuel 17:17-18

Quando Deus quis derrotar um gigante poderoso que estava aterrorizando a nação de Israel, Ele mandou alguém que era fraco na carne. Pense nisto. Aos olhos do mundo, o que poderia ser mais fraco contra um soldado treinado e temível do que um garoto que não tinha treinamento militar formal, nem armadura, estava vestido com a roupa humilde de um pastor, e nem sequer levava uma arma de verdade, a não ser uma funda e cinco pedras lisas de um ribeiro? Não é de admirar que Golias tenha ridicularizado este menino pastor e a sua estratégia. Quando Davi entrou no campo de batalha, Golias perguntou-lhe sarcasticamente: "Por acaso sou um cão, para que você venha contra mim com pedaços de pau?" (1 Samuel 17:43).

A submissão à liderança indicada por Deus sempre fará com que o favor de Deus flua em sua vida.

As implicações desta batalha foram tremendas. Não era apenas um duelo ou uma disputa entre duas pessoas. Os israelitas e os filisteus haviam concordado em mandar, cada um, um guerreiro que representaria a sua nação. O guerreiro derrotado faria com que toda a sua nação se tornasse serva da outra. Seria pouco dizer que muita coisa estava em jogo neste único combate. E quem Deus manda para representar Israel? Em termos naturais, Ele enviou provavelmente a pessoa menos qualificada para aquele campo de batalha no Vale de Elá.

Davi não era ainda nem mesmo um soldado do exército de Israel. Você se lembra de como este menino pastor acabou no campo de batalha, para início de conversa? Davi estava ali para entregar pão e queijo a seus irmãos que estavam no exército (1 Samuel 17:17-20)! E, não obstante, Davi se viu de pé no campo de batalha como o representante de Israel contra o arrogante Golias. De entregador de pão e queijo, agora ele era chamado para libertar toda a nação de Israel.

Davi estava no lugar certo na hora certa porque ele se humilhou e se submeteu às instruções de seu pai para entregar pão e queijo a seus irmãos. Amado, isto é algo que você precisa entender. A submissão à liderança indicada por Deus sempre fará com que o favor de Deus flua em sua vida, e você se verá como Davi, no lugar certo na hora certa!

A Bíblia diz que não devemos desprezar o dia dos pequenos começos (Zacarias 4:10). Não há nada glamoroso em entregar pão e queijo, mas Davi não o desprezou. E isso o colocou bem no vale de Elá, com o vento soprando em seus cabelos — um menino pastor sem experiência militar representando a nação de Israel contra um poderoso gigante que era um homem de guerra desde a juventude.

É isso que Deus ama fazer. Ele ama pegar as coisas loucas e fracas para envergonhar as sábias e fortes deste mundo. Portanto, amado, humilhe-se e submeta-se às autoridades que Deus colocou sobre você. E quando você for fiel em executar pequenas tarefas que lhe forem designadas, o Seu favor é liberado em sua vida e você poderá se encontrar simplesmente realizando grandes proezas para Deus!

Oração de Hoje

Pai, eu Te agradeço porque Tu podes usar as pessoas mais improváveis para realizar grandes proezas para Ti. Tu qualificas os desqualificados, exaltas os humildes e transforma derrotados em campeões. Até os pequenos começos podem ter um grande final quando o Teu favor imerecido é liberado. Pai, decido me submeter às autoridades que Tu colocaste sobre mim nas diferentes áreas da minha vida e não desprezarei nenhuma tarefa pequena que Tu tenhas para mim. Faze com que eu esteja no lugar certo na hora certa, para que eu possa experimentar toda a bondade que Tu tens preparada para mim.

Pensamento de Hoje
A submissão libera o favor de Deus em minha vida.

Reflexão de Hoje sobre o Favor

DIA 94

Como Ester Alcançou Favor

Versículo de Hoje

Chegando, pois, a vez de Ester, filha de Abiail, tio de Mardoqueu (que a tomara por sua filha), para ir ao rei, coisa nenhuma pediu, senão o que disse Hegai, camareiro do rei, guarda das mulheres; e alcançava Ester graça aos olhos de todos quantos a viam. — Ester 2:15, ACF

Quando você sabe que é grandemente abençoado, altamente favorecido e profundamente amado, você não precisa depender dos seus próprios esforços. Veja a história de Ester, por exemplo. Quando o rei Assuero estava procurando uma nova rainha, as mais belas mulheres da terra foram todas levadas para o palácio. Todas as mulheres receberam a oportunidade de se adornarem nos aposentos das mulheres com tudo o que desejassem dos aposentos antes de serem levadas para uma audiência com o rei. Mas quando chegou a vez de Ester, ela "coisa nenhuma pediu, senão o que disse Hegai, camareiro do rei, guarda das mulheres". E veja os resultados: "**alcançava Ester graça** aos olhos de todos quantos a viam", e o rei "amou a Ester mais do que a todas as mulheres, e **alcançou perante ele graça e benevolência** mais do que todas as virgens; e pós a coroa real na sua cabeça, e a fez rainha..." (Ester 2:17).

Quando o Senhor o promove, Ele lhe dá a influência para ser uma bênção para as pessoas que o cercam!

Embora as outras mulheres tivessem agarrado as melhores vestes além de perfumes e acessórios para se embelezar, Ester não confiou na sua própria capacidade, mas se submeteu a Hegai, o oficial que havia sido designado pelo rei para supervisionar as mulheres. Houve muita sabedoria e humildade na decisão de Ester. Você consegue ver a beleza de Ester? Ela não confiou nos seus próprios esforços. Embora as mulheres tivessem tentado superar umas às outras confiando em seus próprios esforços, Ester sabiamente se submeteu à única pessoa que conhecia melhor as preferências do rei, e os resultados falam por si mesmos.

Este incidente também demonstra que Ester dependia inteiramente do favor imerecido do Senhor. Quando você depende inteiramente do favor imerecido do Senhor, você está confiando nele e pode assumir uma posição de descanso. Ester não precisou se esforçar. Quando descansou no Senhor e se humilhou, Ele a promoveu e exaltou-a acima de todas as outras belas mulheres. Deus resiste aos soberbos e dá favor imerecido aos humildes (1 Pedro 5:5). Quando você se humilha e abre mão dos seus esforços para se promover, e depende de Jesus somente, o próprio Senhor será a sua promoção e progresso. Como Ester, você se destacará em uma multidão e obterá graça e favor diante de Deus e dos homens.

Você sabe por que a história de Ester é tão importante? Leia o Livro de Ester pormenorizadamente. Por ter sido promovida para se tornar rainha, ela estava em posição privilegiada para proteger todo o povo judeu no reino impedindo que fossem mortos. Quando o Senhor o promove, Ele lhe dá a influência para ser uma bênção para as pessoas que o cercam. Não existem coincidências, apenas incidentes de Deus. O Senhor vai abençoá-lo para ser uma bênção!

Oração de Hoje

Pai, eu Te agradeço porque não preciso depender do homem para ser promovido. Eu Te agradeço porque não tenho de fazer esquemas ou me esforçar para ter reconhecimento por parte das pessoas. O próprio Jesus é a minha promoção e o meu progresso. Senhor Jesus, dependo de Ti, do Teu tempo e do Teu favor imerecido. E quando eu for promovido pelo Teu favor imerecido, eu Te agradeço porque estarei em uma posição de influência, na qual posso ser uma bênção para outros.

Pensamento de Hoje
O próprio Senhor é a minha promoção e o meu progresso.

Reflexão de Hoje sobre o Favor

DIA 95

Personalize o Favor de Deus em Sua Vida

Versículo de Hoje

E Pedro, voltando-se, viu que o seguia aquele discípulo a quem Jesus amava, e que na ceia se recostara também sobre o seu peito, e que dissera: Senhor, quem é que te há de trair? — João 21:20

Eu costumava achar que entre os doze discípulos de Jesus, João era o favorito do Senhor e aquele que era mais próximo dele porque a Bíblia chama João de "o discípulo a quem Jesus amava". Fiquei com a impressão de que João era favorecido de forma especial por Jesus, e sempre me perguntei o que o tornava tão especial e fazia com que ele se destacasse dos outros discípulos. Você não quer ser conhecido como o discípulo a quem Jesus ama? Eu quero!

É prerrogativa sua ver a si mesmo como o discípulo a quem Jesus ama, e chamar-se como tal!

Então um dia, quando eu estava lendo a Palavra de Deus, o segredo do favor de João me foi revelado. O Senhor abriu os meus olhos e me mostrou que a frase "o discípulo a quem Jesus amava" na verdade encontra-se somente no próprio livro de João! Verifique por si mesmo. Você nunca encontrará esta frase sendo usada nos evangelhos de Mateus, Marcos e Lucas. Ela se encontra somente no evangelho de João. É uma frase que João costumava usar para descrever a si mesmo!

Agora, o que João estava fazendo? Ele estava **praticando e personalizando o amor que Jesus tinha por ele.** Todos nós somos favoritos de Deus, mas João conhecia o segredo para acessar o favor imerecido de Jesus para si.

É sua prerrogativa se ver como o discípulo a quem Jesus ama, e se chamar como tal!

Quando comecei a ensinar que o segredo do favor de João está na sua personalização do amor de Deus, as pessoas da minha igreja literalmente entraram em uma nova dimensão na experiência do favor imerecido de Deus em suas vidas. Vi como algumas delas realmente receberam esta revelação e a levaram adiante. Algumas delas personalizaram os papéis de parede de seus celulares, com os dizeres: "O discípulo a quem Jesus ama", enquanto outros assinavam suas mensagens de texto e *e-mails* com a mesma frase.

À medida que continuaram lembrando a si mesmos do fato de serem eles os discípulos a quem Jesus ama, também começaram a adquirir uma maior consciência do amor do Senhor por eles e do favor de Deus, simultaneamente! Tenho pilhas de relatos de louvor de como os membros da nossa congregação foram tão abençoados apenas por estarem conscientes do favor de Jesus em suas vidas. Alguns deles foram promovidos, outros receberam aumentos espetaculares em seus contracheques e muitos ganharam diversos prêmios em funções em suas empresas e em outros concursos, recebendo inclusive férias como prêmio com todas as despesas pagas.

Um irmão da minha igreja inscreveu-se para um determinado cartão de crédito durante uma promoção especial na qual os novos clientes se candidatavam a ganhar uma série de prêmios. Havia provavelmente centenas de milhares de pessoas participando dessa promoção, mas aquele jovem simplesmente acreditou que era altamente favorecido, e, por isso, ganharia o grande prêmio.

Chegou o dia do concurso e como era de se esperar, aquele jovem ganhou o grande prêmio — um Lamborghini Gallardo preto estonteante! Quando ele escreveu à igreja para contar o seu testemunho, anexou um retrato dele mesmo sorrindo de orelha a orelha, posando com o seu Lamborghini novinho em folha. Ele disse que sabia que tinha ganhado o carro pelo favor imerecido de Deus, e depois de vender o carro, trouxe o seu dízimo à igreja, dando toda a glória e honra a Jesus. O mundo chama isso de "sorte", mas para o crente, não existe sorte. Existe apenas o favor imerecido de Jesus!

Oração de Hoje

Pai, ao amar o mundo de tal maneira, Tu me amas de tal maneira. Obrigado por derramar o Teu amor incondicional e pessoal sobre mim. Eu me vejo abraçado por Ti, e cuidado por Ti. Sou a menina dos Teus olhos — o discípulo a quem Tu amas! E porque o Teu amor por mim é insondável e pessoal, espero que boas coisas aconteçam comigo hoje. Eu Te agradeço pelo favor junto às pessoas. Eu Te agradeço pela proteção divina. Eu Te agradeço pela provisão abundante e pelos acontecimentos positivos de hoje!

Pensamento de Hoje
Sou o discípulo a quem Jesus ama!

Reflexão de Hoje sobre o Favor

DIA 96

Lembre-se Sempre de que Você é o Amado de Deus

Versículo de Hoje

Nos predestinou para ele, para a adoção de filhos, por meio de Jesus Cristo, segundo o beneplácito de sua vontade, para louvor da glória de sua graça, pela qual Ele nos tornou aceitos no Amado. — Efésios 1:5-6

Você acredita que é amado e altamente favorecido por Deus? Efésios 1:6 diz "para louvor da glória de sua graça, pela qual Ele nos tornou aceitos no Amado". Não é possível nos fazermos aceitos. Somos aceitos pela glória do favor imerecido de Deus. A palavra "aceito" em Efésios 1:6 é a palavra grega *charitoo*. Ora, a raiz de *charitoo* é *charis*,[1] que significa "graça". Então, *charitoo* significa simplesmente "altamente agraciado" ou "altamente favorecido". Em outras palavras, você é altamente favorecido no Amado!

Para as tentações do diabo surtirem efeito, ele não pode lembrá-lo de que você é amado de Deus.

Ora, sabemos que "o Amado" em Efésios 1:6 se refere a Jesus. Se você continuar lendo, o versículo seguinte diz: "No qual [Jesus, o Amado] temos a redenção, pelo seu sangue, a remissão dos pecados, segundo a riqueza da sua graça [favor imerecido]." Agora, por que a Bíblia não disse apenas que somos altamente favorecidos em Jesus ou em Cristo? (Não existem detalhes insignificantes na Bíblia). Por que o Espírito Santo escolheu dizer especificamente que somos altamente favorecidos "**no Amado**"?

"Amado" é uma expressão ardente e íntima que foi usada por Deus no Rio Jordão para descrever Jesus. A Bíblia nos diz que quando Jesus foi batizado no Rio Jordão, assim que Ele saiu das águas, "Tu és o Meu **Filho amado**, em Ti me **comprazo**" (Marcos 1:10-11). Nestes versículos, você pode ver o Deus trino — Deus Pai, o Filho e o Espírito Santo. Isto nos diz que há algo muito importante para aprendermos aqui.

Deus Pai falou publicamente e as Suas palavras foram registradas para que você soubesse que ser "aceito no Amado" significa que Deus tem prazer em você hoje. Veja-se no meio de um sanduíche no meio de Jesus, o Amado de Deus. Quando Deus olha para você, Ele não o vê com os seus erros e falhas. Ele o vê na perfeição e amabilidade de Jesus! Porque você está em Cristo, Deus lhe diz: "Você, _____ (insira o seu nome aqui) é o Meu amado, em quem me comprazo." Jesus é agradável a Deus porque Ele guardou a lei perfeitamente. Você e eu somos agradáveis a Deus porque fomos aceitos e somos altamente favorecidos no Amado, que levou todos os nossos pecados e cumpriu a lei em nosso favor!

Imediatamente após Jesus ser batizado, Ele foi levado para o deserto para ser tentado pelo diabo. O diabo foi até Jesus e disse: "Se és Filho de Deus, manda que estas pedras se transformem em pães" (Mateus 4:3). Agora, não se esqueça de que Jesus havia acabado de ouvir a voz de Seu Pai aceitando-o, com as palavras "Tu és o Meu Filho amado". Anos atrás, enquanto eu estava estudando as tentações de Jesus pelo diabo, o Senhor me perguntou "Você percebeu que o diabo omitiu uma palavra quando ele tentou o Meu Filho?"

Eu nunca havia ouvido ninguém pregar isto antes nem lido algo assim em nenhum livro, mas Deus abriu os meus olhos para ver que o diabo havia omitido uma só palavra: "amado"! Deus havia acabado de dizer a Jesus: "Tu és Meu Filho **amado**." Mas pouco depois disso, o diabo foi até Jesus, dizendo: "Se és Filho de Deus..." Essa palavra, "amado" ficou faltando! A serpente a omitiu deliberadamente!

O Senhor então me mostrou que para as tentações do diabo surtirem efeito, ele não pode lembrá-lo de que você é amado de Deus. No instante em que você é lembrado da sua identidade como amado de Deus em Cristo, ele não poderá ter êxito! Não é de admirar que o diabo queira roubar dos crentes a noção de serem amados de Deus. Portanto, não caia no golpe do diabo. Lembre-se hoje e todos os dias de que você é amado de Deus!

Oração de Hoje

Pai, eu Te agradeço porque Tu me aceitas, me amas e me favoreces porque estou em Cristo, o Teu Amado. Não fiz nada para merecer isso — tudo é por Cristo e pelo Teu favor imerecido. Ajuda-me a ser sempre consciente do fato de que sou Teu filho amado. Obrigado por me mostrar que quanto mais consciente estou desta verdade, mais as tentações do diabo não podem ter êxito em minha vida. Hoje, espero que coisas boas aconteçam comigo — só porque sou o Teu filho amado!

Pensamento de Hoje

Sou amado de Deus e altamente favorecido em Cristo, o Amado.

Reflexão de Hoje sobre o Favor

DIA 97

Alimente-se do Amor de Deus Diariamente

Versículo de Hoje

Porque Deus amou ao mundo de tal maneira que deu o seu Filho unigênito, para que todo o que nele crê não pereça, mas tenha a vida eterna. — João 3:16

Meu amigo, Deus quer que você viva cada dia sabendo que é Seu filho amado, em quem Ele tem prazer. Esse é o seu alimento diário da parte dele — saber, crer e confessar que você é o amado dele e por isso é agradável a Ele em todo o tempo.

Viva cada dia alimentando-se do amor, da graça, da perfeita aceitação e do favor imerecido de Deus para com você.

Portanto, viva cada dia alimentando-se do amor, da graça, da perfeita aceitação e do favor imerecido de Deus para com você. Ao fazer isso, você está lembrando a si mesmo que é o amado dele aconteça o que acontecer com você. Quando está constantemente cheio da consciência do Seu favor sobre a sua vida, nada pode derrotá-lo. Você terá tamanha confiança na bondade de Deus para com sua vida que quando o diabo tentar atirar limões em você, Deus transformará esses limões em uma limonada refrescante para você! Você começa a ter uma expectativa confiante na bondade mesmo quando as circunstâncias na esfera natural não parecerem tão boas. Isto é andar pela fé na bondade de Jesus e não por vista. Você não está mais olhando para os seus desafios. Está olhando para o rosto de Jesus brilhando sobre você e transmitindo graça à sua situação.

Quando você está confiante de que é o amado de Deus, não apenas vencerá as tentações do diabo, como também ousará pedir a Deus para abençoá-lo mesmo nas pequenas coisas. Há muitos anos, Wendy e eu fomos a um restaurante para jantar quando ela estava grávida de Jessica. Quando estávamos prestes a pedir nossa comida, um homem que estava sentado a pouca distância de nós tirou um maço de cigarros e se preparou para fumar. Eu realmente não queria que Wendy aspirasse qualquer fumaça de cigarro, mas não havia uma seção para não fumantes no restaurante. Então adivinhe o que eu fiz? Orei! Debaixo da minha respiração, eu disse ao Senhor: "Senhor, sei que sou Teu amado. Por favor, impeça que aquele homem fume no restaurante." Foi tudo o que eu disse — uma oração simples e rápida.

Adivinhe o que aconteceu? Aquele homem tentou acender o cigarro, mas não conseguiu fazer o isqueiro funcionar! Ele insistiu e continuou tentando, mas por mais que tentasse, o isqueiro simplesmente não funcionava. Depois de algumas tentativas, ele enfiou o maço de cigarros de volta no bolso da camisa, frustrado. Glórias a Jesus! Mesmo nas pequenas coisas, Deus ouve e atende às orações dos Seus amados. Nada é grande demais ou pequeno demais para o seu Deus Pai. Se algo importa para você, importa para Ele também. Quando você sabe que é o Seu amado, você consegue andar na expectativa constante do Seu favor imerecido em todas as situações!

Há alguns anos, eu estava pegando um táxi em Nova Iorque e aproveitei a oportunidade para compartilhar o amor de Jesus com a motorista. A reação dela foi bastante típica. Ela disse de maneira petulante: "Deus ama todo mundo, cara!"

É absolutamente verdade que Deus ama a todos, mas para experimentar o Seu amor em primeira mão em sua vida, você precisa personalizar o Seu amor você. Jesus morreu por você. Você sabe que ainda que fosse a última pessoa na terra, Deus ainda teria enviado o Seu Filho para morrer na cruz por você? Isto demonstra o quanto VOCÊ é precioso para Ele!

Você precisa personalizar João 3:16 declarando: "Porque Deus amou _____ (insira o seu nome) de tal maneira, que enviou o Seu Filho unigênito, para morrer na cruz por _____ (insira o seu nome)." Seja como o discípulo João, que personalizou o amor de Deus por ele chamando a si mesmo "o discípulo a quem Jesus amava".

O sol brilha sobre todas as folhas de grama de um campo. Mas, se você colocar uma lente de aumento sobre determinada folha de grama, ela concentrará o calor do sol sobre a folha e esta se queimará. É isso que você deve fazer com o amor de Deus. Coloque uma lente de aumento sobre a sua vida e imagine o amor de Deus sendo concentrado em VOCÊ! Quando personalizar o amor de Deus por VOCÊ, quando viver cada dia sabendo que Deus o ama, você brilhará com uma capacidade sobrenatural de vencer todos os desafios na vida!

Oração de Hoje

Pai, eu Te agradeço porque sou Teu filho amado, precioso aos Teus olhos. Porque Tu és Deus, Tu podes amar o mundo inteiro de tal maneira e ainda me amar com um amor pessoal. Tua bondade para comigo me capacita a voar acima das tempestades da vida. Ainda que o diabo me atire limões, Tu transformarás esses limões em uma limonada refrescante para mim! Hoje, eu Te vejo sorrindo para mim enquanto me coloco debaixo do holofote do Teu amor incondicional e do Teu favor imerecido. Chamo este dia de abençoado e cheio de acontecimentos certos para mim!

Pensamento de Hoje

Posso pedir a Deus coisas grandes ou pequenas. Se importa para mim, importa para Ele porque sou Seu amado!

Reflexão de Hoje sobre o Favor

_____

_____

_____

_____

_____

_____

_____

DIA 98

Descanse na Obra Consumada de Jesus

Versículo de Hoje

Mas Deus, sendo rico em misericórdia, por causa do grande amor com que nos amou, e estando nós mortos em nossos delitos, nos deu vida juntamente com Cristo (pela graça sois salvos), e, juntamente com ele, nos ressuscitou, e nos fez assentar nos lugares celestiais em Cristo Jesus; para mostrar, nos séculos vindouros, a suprema riqueza da sua graça, em bondade para conosco, em Cristo Jesus. — Efésios 2:4-7

Veja a passagem acima. Ela nos diz que pelo favor imerecido de Deus, estamos sentados juntamente com Cristo à direita do Pai. O que significa estarmos sentados juntos nos lugares celestiais em Cristo Jesus? Significa que hoje, estamos em uma posição de descanso na obra consumada de Jesus. Estar assentado com Cristo é descansar, confiar nele, e receber tudo que o nosso maravilhoso Salvador realizou em nosso favor. Meu amigo, Deus quer que tomemos a posição de confiar em Jesus para termos bom êxito em todas as áreas das nossas vidas, em vez de confiarmos nas nossas boas obras e nos nossos esforços humanos para termos êxito. Que bênção é estar nesta posição de dependência do nosso Salvador!

> **Estar assentado com Cristo é descansar, confiar nele, e receber tudo que o nosso maravilhoso Salvador realizou em nosso favor.**

Mas em vez de olhar para Jesus, os crentes são enganados pelo diabo e levados a **olharem para si mesmos**. Durante milhares de anos, a estratégia do diabo não mudou. Ele é mestre em acusá-lo, apontando todas as suas falhas, fraquezas, erros e imperfeições. Ele continuará lembrando-o dos seus erros passados, e usará a condenação para perpetuar o ciclo de derrota em sua vida.

Quando o apóstolo Paulo descobriu que estava afundando na ocupação consigo mesmo, ficou deprimido e clamou: "Desventurado homem que sou! Quem me livrará do corpo desta morte?" (Romanos 7:24). No versículo seguinte, ele vê a solução de Deus e diz: "Graças a Deus por Jesus Cristo nosso Senhor!" Do mesmo modo, amado, é hora de você deixar de se ocupar consigo mesmo e de estar com uma consciência voltada para si mesmo, e começar a se ocupar com Cristo.

Hoje, você não deveria mais estar se perguntando: "Será que sou aceito diante de Deus?" Esta pergunta coloca o foco de volta em você e isto o coloca debaixo da lei. Sei que existem pessoas que irão encorajá-lo a fazer esta pergunta a si mesmo, mas é um erro perguntar a si mesmo se você é aceito diante de Deus. A pergunta correta a ser feita é: "Cristo é aceito diante de Deus?" Porque assim como Cristo é, também você é neste mundo (1 João 4:17). Não pergunte "Estou agradando a Deus?" Em vez disso, pergunte "Cristo está agradando a Deus?" Você consegue ver a diferença na ênfase? A velha aliança da lei tem a ver totalmente com você, mas a nova aliança da graça tem a ver unicamente com Jesus! A lei coloca a exigência sobre o seu desempenho e o torna consciente de si mesmo, ao passo que a graça coloca a exigência em Jesus e o torna consciente de Jesus.

Você pode imaginar uma criança pequena crescendo e sempre perguntando em seu coração? "Estou agradando ao papai? Estou agradando à mamãe? Papai e mamãe me aceitam?" Esta criança crescerá emocionalmente deturpada se não tiver a segurança e a certeza do amor e aceitação dos seus pais. É por isso que o seu amoroso Pai celestial quer que você esteja arraigado, estabelecido e firmado no Seu amor imutável por você. Ele demonstrou o Seu amor por você quando enviou Jesus para se tornar o seu pecado na cruz para que você pudesse se tornar a Sua justiça. A nossa parte hoje é tirarmos os olhos de nós mesmos e olharmos para Jesus!

Oração de Hoje

Pai, agrada ao meu coração saber que Tu me vês em Cristo e não na minha carne. Apesar de todos os meus erros, como Cristo é aceito diante de Ti hoje, também eu sou aceito e amado por Ti hoje. Como Cristo é agradável a Ti, também eu sou agradável a Ti. Como Ele é diante de Ti, assim sou eu neste mundo porque Tu me colocaste nele. Descanso em Cristo e em tudo que Ele realizou por mim. Pai, ajuda-me a manter os meus olhos em Jesus, minha vitória e minha verdadeira e imutável identidade.

Pensamento de Hoje

Descansar em Cristo é confiar em Jesus, em vez de nos meus esforços próprios, para ter bom êxito em todas as áreas da minha vida.

Reflexão de Hoje sobre o Favor

DIA 99

Medite na Palavra de Deus

Versículo de Hoje

Não cesses de falar deste Livro da Lei; antes, medita nele dia e noite, para que tenhas cuidado de fazer segundo tudo quanto nele está escrito; então, farás prosperar o teu caminho e serás bem-sucedido. — Josué 1:8

Veja as instruções que Deus deu a Josué quando ele foi indicado como sucessor de Moisés. "Não cesses de falar deste Livro da Lei; antes, medita nele dia e noite, para que tenhas cuidado de fazer segundo tudo quanto nele está escrito; então, farás **prosperar** o teu caminho e serás **bem-sucedido**." Deus disse a Josué que para ser bem sucedido, ele tinha de meditar na lei dia e noite. Josué vivia sob a velha aliança, então como deveríamos nós, que vivemos sob a nova aliança, beneficiarmo-nos deste versículo?

> O segredo para o bom êxito encontra-se em meditar na Palavra de Deus à luz da nova aliança da graça.

Precisamos ler este trecho do versículo em vista a obra consumada de Jesus. É por isso que é essencial que você esteja firmemente estabelecido no fundamento sólido como a rocha da nova aliança da graça. Agora que você sabe que não estamos mais sob a lei, qual é a forma da nova aliança para ser abençoado e ser bem-sucedido? Josué só tinha a lei para meditar porque o Novo Testamento ainda não havia sido escrito. Para nós, o segredo para ser bem-sucedido está em meditar na Palavra de Deus à luz da **nova aliança da graça**.

Antes de podermos entrar no que significa meditar na Palavra de Deus, o que significa exatamente "meditar"?

Quando a Bíblia fala sobre meditação, ela não se refere a um exercício mental. A palavra hebraica para meditação no Antigo Testamento é a palavra *hagah,* que significa pronunciar ou balbuciar.[1] Então *hagah* é falar sob a sua respiração. Observe que o Senhor disse a Josué: "Não cesses de **falar** deste Livro da Lei..." Ele não disse "Não cesses de meditar neste Livro da Lei". A chave para meditar na Palavra de Deus não é a contemplação mental. É declarar as promessas de Deus com a sua boca!

"Pastor Prince, isto significa que devo ficar repetindo a Palavra de Deus? Por exemplo, devo ficar dizendo 'pelas Suas pisaduras sou sarado' quando eu precisar de cura?"

Meditar na Palavra de Deus não significa fazer vãs repetições dos versículos. É muito mais e é algo que acontece primeiramente no fundo do seu coração. O salmista Davi captou a essência da meditação mais corretamente quando disse: "Esbraseou-se-me no peito o coração; enquanto eu meditava, ateou-se o fogo; então, falei com a minha língua" (Salmos 39:3). À medida que você meditar na Palavra de Deus, peça ao Espírito Santo para lhe dar uma revelação nova de Jesus. Deixe esse versículo arder com a revelação em seu coração. E quando declarar essa revelação ardente, Deus unge as palavras que você diz. Quando você declara: "Pelas suas pisaduras sou sarado", e essa declaração é pronunciada com uma sensação de revelação e fé em Jesus, haverá poder na sua declaração!

Oração de Hoje

Pai, eu Te agradeço porque a Tua vontade é fazer com que eu prospere e me dar o bom êxito que não irá me destruir. Dá-me um coração que deseja meditar na Tua Palavra e eu Te peço que Tu me digas palavras de vida sempre que eu meditar na Tua Palavra. Dá-me revelações novas do Teu Filho Jesus — a amabilidade da Sua pessoa e a perfeição da Sua obra consumada.

Pensamento de Hoje

A meditação traz revelação que libera poder sobre as minhas declarações.

Reflexão de Hoje sobre o Favor

DIA 100

Viver Corretamente é Resultado de Crer Corretamente

Versículo de Hoje

Porque, como imagina em sua alma, assim ele é. — Provérbios 23:7

Pregando a graça ao longo dos anos, algumas pessoas me perguntaram: "O Sr. não acha que o nosso desempenho é importante?" Digo a elas que o nosso desempenho é importante, com toda certeza. Mas também lhes digo que o nosso desempenho como maridos, viúvos, pais, alunos, empregados e filhos de Deus é resultado de crermos que somos justificados pela fé. Digo isto repetidamente, e nunca me cansarei de fazê-lo. Viver corretamente é resultado de crer corretamente. Há muitas pessoas pregando e focando em viver corretamente. Para elas, viver corretamente tem a ver sempre com se tornar mais santo, temer mais a Deus, fazer mais coisas, orar mais, ler mais a Bíblia, servir mais na igreja ou dar mais dinheiro para ajudar os necessitados. Mas meu amigo, quando você foca apenas no comportamento externo, você só está tratando com elementos superficiais.

Creia corretamente e você viverá corretamente. O oposto também é verdade: creia incorretamente e você viverá de forma incorreta.

Embora as pregações enérgicas sobre santidade possam ter um efeito temporal sobre o comportamento das pessoas, não trarão uma mudança duradoura e permanente. Deixe-me fazer uma analogia. Se você cortar fora as ervas daninhas do seu jardim, mas não remover as raízes, em pouco tempo, as ervas daninhas crescerão novamente no seu jardim. É isso que as pregações sobre viver corretamente fazem na igreja. Temporariamente, o problema parece estar resolvido, mas enquanto as raízes ainda estiverem vivas, o mesmo comportamento errado, os mesmos maus hábitos e vícios aparecerão novamente, como ervas daninhas teimosas.

Durante décadas, a igreja pregou sobre viver corretamente, sem resultados de mudança duradoura ou permanente no comportamento das pessoas. É hora de irmos atrás da raiz, e a raiz não está em pregar sobre viver corretamente, mas em pregar sobre crer corretamente. Creia corretamente e você viverá corretamente. O oposto também é verdade: Creia incorretamente e viverá de forma incorreta. O Cristianismo não tem a ver com mudança de comportamento e sim com transformação interior do coração. Comece a tratar a raiz e tome posse de bons ensinamentos que estejam cheios de Jesus e da justiça pela fé nele. Quando você estiver ancorado nesses fundamentos inabaláveis, o seu comportamento externo se alinhará com a Sua Palavra e você começará a ser transformado à Sua imagem de glória em glória! Você produzirá os frutos de justiça!

Apenas para o caso de haver algum mal-entendido, deixe-me afirmar isto claramente preto no branco: Eu, Joseph Prince, odeio o pecado e a vida errada. Como pastor de uma igreja local por mais de duas décadas agora, tenho testemunhado em primeira mão os efeitos devastadores do pecado. Ele destrói casamentos, separa famílias, traz doenças e basicamente destrói uma pessoa de dentro para fora. Estou do mesmo lado daqueles que pregam contra o pecado e ensinam a necessidade de uma vida reta. Entretanto, a parte da qual discordo é no fato de crer que a solução para impedir o pecado não está em se concentrar em uma vida reta. Está em **crer corretamente**.

Creio no melhor dos filhos de Deus. Creio que os verdadeiros crentes nascidos de novo em Jesus não estão procurando oportunidades para pecar, mas estão buscando o poder para vencer e reinar sobre o pecado. Mesmo que os seus atos possam não estar completamente neste nível ainda, creio que eles já sabem que devem viver corretamente, e desejam fazer isso. Então creio que a minha parte como pastor é em primeiro lugar ajudá-los a crer corretamente. Quando eles crerem corretamente, e souberem que são justificados pela fé e não pelas suas obras, *viverão* corretamente.

Vemos na Bíblia que as características de uma vida reta incluem domínio próprio, perseverança, bondade fraternal e amor (2 Pedro 1:5-7). Mas você sabia que a Bíblia também nos diz por que alguns crentes não têm essas qualidades? 2 Pedro 1:9 diz: "Pois aquele a quem estas coisas não estão presentes é cego, vendo só o que está perto, esquecido da purificação dos seus pecados de outrora." Uau! Este versículo está nos dizendo basicamente que o motivo pelo qual alguém não manifesta essas qualidades de vida reta é porque ele se esqueceu de que todos os pecados foram perdoados e por isso ele é justo pela fé em Jesus. Não é algo em que ele acredita e do qual está consciente, e isso afeta o seu comportamento.

Portanto, comece a crer corretamente e você viverá corretamente! Se você não vê um viver correto em alguma área específica da sua vida — pode ser que esteja lutando com um vício secreto — verifique no que você acredita nessa área. Em algum ponto do caminho, você acreditou em uma mentira. Mas eis a boa notícia: quando você começa a ver e a crer que é justo em Cristo, quando começa a confessar a sua justiça por meio de Jesus nessa área, uma guinada em sua vida o espera do outro lado da esquina. Amado, lembre-se e creia nisto todos os dias: Jesus quer libertá-lo, prosperá-lo e lhe dar bom êxito!

Oração de Hoje

Pai, obrigado por me lembrar de que todos os meus pecados foram perdoados e que sou justo pela fé em Jesus Cristo. Obrigado por também me mostrar que crer corretamente me leva a viver corretamente. Para as áreas da minha vida em que não estou vivendo corretamente, peço que Tu me mostres onde tenho acreditado de maneira errada, para que eu possa renovar a minha mente com a Tua Palavra e crer corretamente. Decido crer que Tu queres me libertar, fazer com que eu prospere e me dar bom êxito!

Pensamento de Hoje
Primeiramente vou crer corretamente, e depois viverei corretamente e verei bênçãos e transformações em minha vida.

Reflexão de Hoje sobre o Favor

Oração de Salvação

Se você deseja receber tudo o que Jesus fez por você, fazendo dele o seu Senhor e Salvador, faça esta oração:

Senhor Jesus, obrigado por me amar e por morrer por mim na cruz. O Teu precioso sangue me purifica de todo pecado. Tu és o meu Senhor e o meu Salvador, agora e para sempre. Creio que Tu ressuscitaste e estás vivo hoje. Por causa da Tua obra consumada, agora sou um filho amado de Deus e o céu é o meu lar. Obrigado por me dar vida eterna e por encher o meu coração com a Tua paz e alegria. Amém.

Gostaríamos de Ter Notícias Suas

Se você fez a oração ou se tem um testemunho para compartilhar depois de ler este livro, por favor, envie-nos um e-mail para *info@josephprince.com*

Notas

Dia 2
1. NT:5547, Biblesoft's New Exhaustive Strong's Numbers and Concordance with Expanded Greek-Hebrew Dictionary. Copyright © 1994, 2003, 2006. Biblesoft, Inc. and International Bible Translators, Inc.

Dia 23
1. NT:3364, Biblesoft's New Exhaustive Strong's Numbers and Concordance with Expanded Greek-Hebrew Dictionary. Copyright © 1994, 2003, 2006. Biblesoft, Inc. and International Bible Translators, Inc.

Dia 43
1. Carl Stuart Hamblen, "Is He Satisfied With Me?" I Believe, Hamblen Music Company, 1952.

Dia 46
1. NT:2842, Biblesoft's New Exhaustive Strong's Numbers and Concordance with Expanded Greek-Hebrew Dictionary. Copyright © 1994, 2003, 2006. Biblesoft, Inc. and International Bible Translators, Inc.

Dia 48
1. Dedicação e Prefácio de Coverdale, Coverdale's Bible. Recuperado em 23 de abril de 2009 de www.bible-researcher.com/coverdale1.html

Dia 53
1. OT:7965, The Online Bible Thayer's Greek Lexicon and Brown Driver & Briggs Hebrew Lexicon, Copyright © 1993, Woodside Bible Fellowship, Ontario, Canada. Licenciado pelo Institute for Creation Research.

Dia 66
1. NT:2889, *Thayer's Greek Lexicon, Electronic Database*. Copyright © 2000, 2003, 2006 por Biblesoft, Inc. Todos os direitos reservados.

Dia 69
1. *Hitchcock's Bible Names Dictionary*, PC Study Bible formatted electronic database. Copyright © 2003, 2006 Biblesoft, Inc. Todos os direitos reservados.

Dia 75
1. OT:7136, *The Online Bible Thayer's Greek Lexicon and Brown Driver & Briggs Hebrew Lexicon*, Copyright © 1993, Woodside Bible Fellowship, Ontario, Canada. Licenciado pelo Institute for Creation Research.

Dia 76
1. OT:4745, *Biblesoft's New Exhaustive Strong's Numbers and Concordance with Expanded Greek-Hebrew Dictionary*. Copyright © 1994, 2003, 2006. Biblesoft, Inc. and International Bible Translators, Inc.
2. O servo sem nome provavelmente é Eliezer, de Damasco, o principal criado de Abraão.

Dia 82
1. OT:8085, *Biblesoft's New Exhaustive Strong's Numbers and Concordance with Expanded Greek-Hebrew Dictionary*. Copyright © 1994, 2003, 2006. Biblesoft, Inc. and International Bible Translators, Inc.

Dia 85
1. Prince, Joseph. (2007). *Destined To Reign*. Singapore: 22 Media Pte Ltd. págs. 208-209.

Dia 90
1. NT:5487, *Biblesoft's New Exhaustive Strong's Numbers and Concordance with Expanded Greek-Hebrew Dictionary*. Copyright © 1994, 2003, 2006 Biblesoft, Inc. and International Bible Translators, Inc.

Dia 96
1. NT:5485, *Biblesoft's New Exhaustive Strong's Numbers and Concordance with Expanded Greek-Hebrew Dictionary*. Copyright © 1994, 2003, 2006. Biblesoft, Inc. and International Bible Translators, Inc.

Dia 99
1. OT:1897, *The Online Bible Thayer's Greek Lexicon and Brown Driver & Briggs Hebrew Lexicon*, Copyright © 1993, Woodside Bible Fellowship, Ontario, Canada. Licenciado pelo Institute for Creation Research.